육아고민

육아
고민

아카스구 편집부 │ 유가영 옮김

 동해출판

목차

머리말

초보 엄마의 고민을 해결 줄 11명의 전문가 ★ 14

제1장.
건강과 몸에 관한 고민

Q01 언제나 코가 가득 차 있어서 숨쉬기 괴로워 보인다.
언제쯤이면 스스로 코를 풀 수 있을까? ★ 22

Q02 열이 났을 때 바로 병원에 가야 할지 집에서 상태를 지켜봐
도 될지 판단하기 어렵다. ★ 24

Q03 어깨와 등에 털이 많아서 걱정이다. 선천적인 반점도 있다.
시간이 지나면 자연히 사라지는 걸까? ★ 26

Q04 귀지가 눅눅하다. 혹시 병에 걸린 건 아닐까? ★ 28

Q05 한밤중에는 우유를 먹이고 나서 양치질을 해줄 수 없다.
혹시 충치가 생기는 건 아닐까? ★ 30

Q06 귀 청소를 굉장히 싫어한다. 가만히 있질 않기 때문에 위험
해서 귀 청소를 할 수가 없다. ★ 32

Q07 혹시 O다리가 아닐까? ★ 34

Q08 코딱지를 파서 먹는다. 보기에 좋지 않아 그만두게 하고 싶지만 이미 버릇이 된 것 같다. ★ 35

Q09 노리개 젖꼭지를 빼면 손가락을 심하게 빤다.
어떻게 해야 할까? ★ 36

Q10 귀두 포피는 벗기는 편이 좋을까? ★ 37

Q11 고추를 만지는 버릇이 있다. 우리 아이가 좀 별난 것은 아닌지 걱정된다. ★ 38

Q12 김을 너무 많이 먹는다. 괜찮을까? ★ 39

Q13 선크림은 매일 바르는 것이 좋을까? ★ 40

Q14 이제 곧 3살인데 머리카락이 잘 자라지 않는다 ★ 41

Q15 콧물이나 기침이 나오면 약을 먹여야 할까? ★ 42

Q16 여자아이의 성기는 어떻게 씻어야 할지 모르겠다. ★ 43

제1장 정리 ★ 44

제2장.
모유와 분유에 관한 고민

Q17 생후 3개월인데 체중이 늘지 않는다.
모유의 양이 적은 일까? ★ 50

Q18 한밤중의 수유로 인해 수면부족 상태다. 아기가 곤히 자고 있을 때도 깨워서 먹여야 할까? ＊ 52

Q19 우유를 너무 많이 마시면 알레르기가 생길까? ＊ 54

Q20 모유를 먹일 때마다 유두를 물어서 아프다! ＊ 56

Q21 1년 2개월이 됐는데 아직도 모유를 떼지 못했다. 모유는 언제까지 먹여야 할까? ＊ 58

Q22 모유 수유를 하면 가슴이 처진다고 들었다. 가슴 모양이 걱정 된다. ＊ 60

Q23 모유를 끊었는데도 가슴을 만지고 싶어 한다. ＊ 61

제2장 정리 ＊ 62

제3장.
수면에 관한 고민

Q24 2살 8개월인데 낮잠을 전혀 자지 않는다. 잠이 오지 않는 걸까? ＊ 68

Q25 4살이 다 되가는데 아직도 밤중에 자주 깬다. 덕분에 엄마 아빠도 수면부족으로 힘들다. ＊ 70

Q26 잠결에 울면서 잠꼬대를 하는 경우가 많다. 대답을 해줘야 할까? ＊ 72

Q27 2살 된 아이가 수면 중에 자주 끙끙거린다.

굉장히 신경 쓰인다. ★ 74

Q28 잠버릇이 심해서 같이 자기 힘들다. ★ 75

제3장 정리 ★ 76

제4장.
기저귀와 대소변 가리기에
관한 고민

Q29 12개월인데 벌써 빅 사이즈 기저귀를 하고 있다. 이대로라면
조만간 맞는 사이즈가 없는 건 아닐까? ★ 82

Q30 대소변을 제대로 가리지 못하면 무심코 화내고 때려버린다.
★ 84

Q31 남자아이는 처음부터 서서 소변을 보게 하는 것이 좋을까?
★ 86

Q32 소변은 화장실에서 볼 수 있게 됐는데 대변은 아직도 기저귀
에 한다. ★ 88

Q33 4살 5개월 된 남자아이다. 밤에는 아직도 기저귀를 하고 있
다. 어떻게 해야 완전히 뗄 수 있을까? ★ 89

Q34 볼 일을 본 다음 스스로 닦지 못한다. ★ 90

Q35 여자아이는 기저귀를 갈 때마다 티슈로 닦아주는 것이 좋을까? ★ 91

Q36 겨우 기저귀를 뗐다. 하지만 화장실에서 소변을 볼 때 소변이 똑바로 나가지 않는다. ★ 92

Q37 4살이 지난 다음 기저귀 떼기를 시작하면 기저귀 떼기가 늦어진다는 게 사실일까? ★ 93

제4장 정리 ★ 94

제5장.
성격에 관한 고민

Q38 낯가림이 심하다. 유치원에 잘 적응할 수 있을지 걱정이다. ★ 100

Q39 자기 마음에 들지 않으면 소리 지르며 심하게 날뛴다! 정말 지친다. ★ 102

Q40 4살 된 딸은 옷에 대한 집착이 강해 자기가 좋아하는 옷밖에 입지 않는다. ★ 104

Q41 또래보다 체구가 커서 같이 노는 친구를 다치게 하지 않을까 걱정이다. ★ 106

Q42 아이가 너무 얌전하다. 소극적인 성격이 아닌지 걱정 된다. ★ 108

Q43 여자아이인데 남자애처럼 개구쟁이라 걱정이다. ★ 110

Q44 문이 열려 있으면 꼭 닫아야 할 정도로 신경질적이다.
이대로 괜찮을까? ★ 112

Q45 자동차나 전철을 너무 좋아한다. 왜일까? ★ 113

Q46 4살 된 남자아이인데 금세 들떠서 도를 넘는 행동을 한다.
★ 114

Q47 울보다. 울면 뭐든 다 된다고 생각하는 것 같다. ★ 115

제5장 정리 ★ 116

제6장.
가정교육에 관한 고민

Q48 아이가 2살이 되고 나서부터 아이에게 '안 돼 안 돼.'라고 화
내는 일이 늘었다. 너무 야단치는 걸까? ★ 122

Q49 한창 신경질을 부리는 3살이다. 매사에 신경질적이라 곤란
하다. ★ 124

Q50 왼손잡이는 고쳐주는 것이 좋을까? ★ 126

Q51 3살 반이 된 아들은 할머니 앞에서만 떼를 쓴다. ★ 128

Q52 11개월 된 딸은 밥 먹을 때 음식을 갖고 장난치는 것을 좋아
한다. 관대하게 봐주는 것이 좋을까? ★ 130

Q53 아이에게 TV나 DVD를 보여줘도 괜찮을까? ★ 132

Q54 '칭찬으로 키워라.'는 말을 자주 듣지만 실제로는 어렵다.
★ 134

Q55 친구들의 머리카락을 잡아당긴다. ★ 136

Q56 같이 노는 친구가 나쁜 행동을 했을 때 아이에게 어떻게 가
르쳐야 할까? ★ 137

Q57 2살 된 딸에게 매일 밤 그림책을 읽어주고 있지만 전혀 집중
하지 않는다. ★ 138

Q58 이제 막 3살이 된 아들은 어린이집에 다니고 있다. 그런데 같
이 노는 친구를 물어버리는 일이 종종 있다. ★ 139

제6장 정리 ★ 140

제7장.
놀이에 관한 고민

Q59 자기중심적인 아이다. 친구랑 있어도 혼자 노는 경우가 많아
걱정된다. ★ 146

Q60 남자애라 그런지 높은 곳에 올라가는 걸 좋아한다. 조마조마
해서 한시도 눈을 뗄 수 없다. ★ 148

Q61 아이들끼리 싸울 때 부모는 어떻게 대처해야 할까? ★ 150

Q62 3살 된 첫째가 최근 친구와의 트러블이 잦다. 둘째를 임신 중인 것과 관계있을까? ★ 152

Q63 3살 8개월 된 아들은 장남감에 대한 집착이 너무 심하다. ★ 154

Q64 한 가지 장난감에 집중하여 놀지 못한다. 주의력이 산만한 아이일까? ★ 155

Q65 내가 피곤하면 산책을 하지 않는다. 아이에게 너무 미안하다. ★ 156

Q66 대부분의 시간을 어른들과 지낸다. 또래 아이들과 놀지 않아도 괜찮을까? ★ 157

제7장 정리 ★ 158

제8장.
남편에 관한 고민

Q67 아이가 태어나고 서로를 엄마 아빠라고 부르고 있다. 그래서 남자와 여자라는 느낌이 사라졌다. 이대로 괜찮은 걸까? ★ 164

Q68 육아에 지쳐서 남편이 눈치 없는 행동을 하면 짜증을 내버린다. ★ 166

Q69 남편의 교육 방침이 나와 다르다. 괜찮을까? ★ 168

Q70 육아와 일을 병행하고 싶지만 남편은 전혀 이해해주지 않는다. ★ 170

Q71 아이가 태어나면서부터 부부싸움이 잦아진 것 같다. ★ 172

Q72 휴일에도 피곤한 얼굴을 하고 있는 남편을 보면 짜증난다. ★ 173

Q73 아이를 혼낸 후 달래는 역할은 어느 쪽이 담당하는 게 좋을까? ★ 174

Q74 시댁과 친정. 어디에 갈지를 놓고 늘 싸우게 된다. ★ 175

Q75 남편이 출산 장면을 비디오로 찍고 싶어 한다. 그런 장면을 촬영하면 아내가 더 이상 여자로 보이지 않게 된다는데 사실일까? ★ 176

Q76 딸은 심한 마마걸이라 남편에게 잘 가지 않는다. 남편이 불쌍하다. ★ 177

제8장 정리 ★ 178

제9장.
다른 엄마들과의 교제에 관한 고민

Q77 육아에 대한 고민이나 정보를 함께 나눌 친구가 있으면 좋겠

다. 어떻게 하면 좋을까? ★ 184

Q78 다른 집에 놀러 갔는데 우리 집에서는 먹이지 않는 간식이
나왔다. 어떻게 하면 좋을까? ★ 186

Q79 신장이나 체중 등을 꼬치꼬치 캐묻는 엄마들이 있다. 자꾸
자기 아이와 비교하려고 해서 불쾌하다. ★ 188

Q80 다른 엄마들을 보면 다들 즐겁게 육아에 임하고 있다. 육아
가 힘들기만 한 나는 나쁜 엄마인 걸까? ★ 190

Q81 나이 차이가 나는 엄마들과도 친구처럼 편하게 이야기해도
될까? ★ 192

Q82 다른 엄마들과는 어느 정도 친하게 지내야 좋을까? ★ 193

제9장 정리 ★ 194

맺음말 ★ 198

머리말

기다리고 기다리던 아기의 사랑스러운 얼굴은 보기만 해도 행복하다. 하지만 가끔 이런 문제로 고민해 본 적은 없는가?

0~5살까지의 아이를 가진 초보 엄마 250명에게 설문조사를 했다. 그 결과 대부분의 엄마들이 이렇게 사소한 문제로 고민하고 있었다. 다른 사람이 보면 '사소한' 고민일 수 있다. 하지만 '사소한' 고민이 쌓이면 마음에 걱정이 쌓인다.

　이 책에서는 초보 엄마들의 다양한 육아 고민에 대해, 소아과 선생님과 조산사, 발달 심리학 교수 등 각 분야별 전문가에게 답을 구해 소개한다. 전문가의 조언이 엄마들의 작은 고민을 해결하는 데 도움이 되기를 바란다.

'아카스구' 편집부

초보 엄마의 고민을 해결 줄
11명의 전문가

   의료와 육아의 현장에서 다양한 상담을 받고 있는 전문가들에게 구
체적인 조언을 구했다.

질병과 발달에 관한 고민은

가와카미 가즈에(川上一)
가즈에 키즈 클리닉(도쿄도 시부야구) 원장으로 의학박사이다. 일본
소아과학회 전문의로 일본소아과의회에서 인정받은 '아이들의 심
리 상담의'이다. 시부야구 육아 지원센터에서 육아 상담과 보육원
의로 육아지원에 힘을 쏟고 있다. 한 아이의 엄마다.

충치와 치열에 관한 고민은

구라지 나나에(倉治ななえ)
구라지 치과(원장)와 테크노포트 덴탈 클리닉(도쿄도 오타구)에서 진
료하고 있다. 치의학박사로 니혼치과대학 부속병원 임상 준 교수
를 겸임하고 있다. 일본 핀란드 충치예방 연구회 부회장이자 전국
소아치과 개업의회 회원이다. 저서로는 '치열이 좋은 아이로 기르
기 위해' 등이 있다. 한 아이의 엄마다.

이와무로 신야(岩室神也)

아츠기 시립병원(가나가와현 아츠기시) 비뇨기과의, 성마리안나 의과대학 비상근 강사, 일본 소아 비뇨기과 학회 전문의, 일본 사춘기 학회 이사 등을 맡고 있다. 저서로는 '사춘기의 성—지금 무엇을 어떻게 전할 것인가.' 등이 있다. http://iwamuro.jp/

후쿠시마 유카리(福島ゆかり)

조산사로 종합병원과 개인병원, 조산원 등에서 근무했다. 첫 아이를 출산한 후 출장개업 조산사가 되었다. 도쿄도 세타가야구를 중심으로 모유 육아 지원하고 있다. 또한 유아기 가정방문 지도원, 출산준비 클래스 강사로서 임신과 산후의 모자 보건을 지도하고 있다.

스에마츠 다카코(末松たかこ)

게이오 하치오우지 클리닉(도쿄도 하지오우지시)의 소아과의사로 보육원의도 겸임하고 있다. 기저귀 졸업과 알레르기에 관한 강연도 하고 있다. 주요 저서로는 '종이 기저귀를 통해 육아를 가르친다.' '기저귀 졸업 1주일' 등이 있다. 두 자녀를 둔 엄마다.

성격과 놀이에 관한 고민은

다카하시 모모코(高橋桃子)

니혼대학 의학부 부속 이타바시 병원 소아과 임상심리사이다. 또한 니혼대학 네리마 히카리가오카 병원과 교린대학병원 소아과에서 심리외래를 담당하고 있다. 유아기에서 사춘기까지의 발달 상담과 페어런트 트레이닝, 발달장해아를 가진 어머니의 서포트 등을 담당하고 있다. 두 자녀를 둔 엄마다.

가정교육에 관한 고민은

이와타테 교우코(岩立京子)

도쿄 학예대 교육학부 교수로 유유아 심리학과 유아교육 심리학을 전문으로 한다. 저서로는 '4살까지의 가정교육과 육아' '즐겁게 배우는 유유아의 심리' 등이 있다. 두 자녀를 둔 엄마다.

성격과 가정교육에 관한 고민은

가키누마 미키(沼美紀)

일본 수의(獸醫) 생명과학대학 비교발달 심리학교실 교수다. 아메리카 노스웨스턴 대학을 졸업 후 츠쿠바대학에서 석사과정을 마치고, 시라유리 여자대학에서 박사과정을 만기퇴학했다. 문학박사로 1남 2녀를 둔 엄마다.

사오토메 도모코(早乙女智子)

산부인과의로 가나가와현립 시오미다이 병원 산부인과 부과장을
맡고 있다. 피임, 인구문제, 리프로덕티브 헬스(성과 생식에 관한 건
강) 전문이다. 여성의 건강을 지키는 '성과 건강을 생각하는 여성
전문가의 모임' 부회장이다. 저서로는 '14살부터의 몸과 마음 노
트' 'LOVE 러브 H(섹스)' 등이 있다.

구로카와 이호코(川伊尹保子)

주식회사 감성리서치 대표이사로 인공지능(AI)의 개발에서 이끌어
낸 감성분석의 제일인자다. 뇌 과학과 AI의 지식을 통해 남자 뇌와
여자 뇌의 구조 차이를 일찍부터 착안했다. 저서로는 '행복한 뇌로
키우자!' '연애 뇌—남심과 여심은 왜 이렇게나 엇갈리는 걸까.'등
이 있다. http://www.ihoko.com/

아리키타 이쿠코(有北いくこ)

NPO법인 마마톤킷즈 이사장이다. 출판사 근무를 거쳐 결혼 후, 육아 중에 지역의
엄마들과 정보지 만들기를 시작하여 육아지원, 부모지원의 NPO법인을 설립했다.
육아살롱, 육아자력 강좌개발 등을 실시하고 있다. 세 아이의 엄마다.

'귀 청소를 싫어한다.' '스스로 코를 풀지 못한다.'

정말 사소한 문제같지만 신경이 쓰인다.

특별히 병이 있거나 아픈 게 아니기 때문에 병원에 데려가기도 그렇다.

내 아이의 몸에 관한 의문을 풀어보자.

제1장

건강과 몸에 관한 고민

Q01

언제나 코가 가득 차 있어서
숨쉬기 괴로워 보인다.
언제쯤이면 스스로 코를 풀 수 있을까?

3살 된 남자아이인데 콧물을 자주 흘린다. 매번 티슈로 닦아주지만 스스로 코를 풀지 못해 답답해 보인다. 하루 종일 콧물을 닦아주는 것도 지친다.

A. 티슈 없이 한쪽 코를 누르고 '흥'하고 숨을 내뱉는 연습부터 시작해 보라.

스스로 코를 풀 수 있는 나이는 정해져 있지 않다. 2살이 조금 지났을 때 엄마가 '흥 해 보렴.'이라고 티슈를 대면 바로 코를 푸는 아이들도 있다. 그런 반면 8살, 11살이 될 때까지 코를 풀지 못하는 아이도 있다.

코를 푸는 방법을 가르치는 데도 요령이 필요하다.(다음 페이지 참조) 대부분의 엄마들은 아이가 콧물을 흘리면 다른 사람이 보지 못하도록 재빨리 닦는다. 너무 순식간에 닦아버리기 때문에 아이는 무슨 일이 일어났는지 모른다. 코를 닦아 줄 때마다 아이가 알 수 있도록 천천히 가르쳐주자. 단 코를 너무 세게 풀면 귀가 아플 수도 있으니 주의하자.

Q 02
열이 났을때 바로 병원에 가야할지 집에서 상태를 지켜봐도 될지 판단하기 어렵다.

4살 된 여자아이다. 한밤중에 갑자기 아플 때 바로 병원에 가야 할지 상태를 지켜봐야 할지 모르겠다. 큰 병도 아닌데 휴일이나 야간에 응급실에 가는 것은 왠지 호들갑 떠는 부모로 보일까봐 망설여진다. 하지만 일찍 조치를 취하지 못해서 병이 커질 가능성도 있기 때문에 걱정이다. 어느 정도로 아플 때 병원에 가야 할까?

A. 판단하기 어려울 때는 응급의료센터에 전화해서 확인하자.

아이들은 밤에 열이 오르는 경우가 많다. 그렇기 때문에 다음날 아침까지 상태를 지켜봐야 할지 서둘러 병원에 데려가야 할지 고민하는 엄마들이 많다. 낮에는 가벼운 증상이라도 바로 병원에 갈 수 있지만 휴일이나 야간에는 조금 고민이 되는 문제다. 최근 가벼운 증상에도 응급실을 찾는 부모들이 늘고 있다. 이런 부모들로 인해 정말 치료가 급한 환자들이 피해를 보는 일이 늘어 문제가 되고 있다.

갑작스런 발열이라도 열만 나는 경우에는 당황할 필요가 없다. 하지만 열과 함께 심한 기침과 구역질, 경련 등을 동반하는 경우라면 단순한 감기가 아닐 수도 있다. 이런 경우에는 한밤중이라도 병원에 데려가는 것이 좋다.

판단이 어려울 때는 국번 없이 1339로 전화를 하면 24시간 상담을 받을 수 있다. 증상에 따라 즉시 병원에 가야 할지 다음날까지 상태를 지켜봐야 할지 자세히 알려준다. 뿐만 아니라 거주지 근처에 바로 진찰을 받을 수 있는 병원도 안내해 준다. 또한 대한소아과학회의 홈페이지에는 질병과 건강에 대한 정보를 알려주는 페이지와 온라인 상담 페이지가 있어 많은 도움을 받을 수 있다.

그리고 유아검진의 경우 가능한 한 집근처 병원에 담당의를 지정해 두는 것이 좋다. 아이들에게 유행하는 병은 지역별로 다른 경우가 많다. 집근처 병원은 같은 병이 유행하고 있는 경우가 많기 때문에 병원에서 새로운 병에 감염될 확률이 낮다. 하지만 멀리 떨어진 지역의 병원이나 대학 병원에서는 다른 병이 유행하고 있을 가능성이 있어 원내 감염이 우려된다. 따라서 마스크를 하는 등의 예방이 필요하다.

Q03

어깨와 등에 털이 많아서 걱정이다.
선천적인 반점도 있다.
시간이 지나면 자연히 사라지는 걸까?

4개월 된 딸은 태어났을 때부터 털이 많은 편이다. 머리숱이 풍성한 것은 좋지만 어깨와 등에도 털이 나 있는 건 신경 쓰인다. 등에 연한 반점도 있는데 시간이 지나면 사라지는 걸까? 여자아이이라서 그런지 더 걱정된다.

A. 털은 시간이 지나면 서서히 사라지기 때문에 걱정하지 않아도 된다. 하지만 반점은 시간이 지나면 사라지는 경우와 치료가 필요한 경우가 있다.

임신 5개월경 태아의 몸에는 '배냇머리'라는 부드러운 털이 자란다. 그리고 임신 7개월경에는 몸 전체가 이 털로 뒤덮인다. 일반적으로 출생 전에 모두 빠지지만 가끔 어깨나 등에 털이 남아 있는 채로 태어나기도 한다. 하지만 4~6개월쯤 지나면 자연히 사라지기 때문에 걱정하지 않아도 된다. 반점은 선천적 또는 후천적으로 생기는 피부의 색이나 형태의 이상으로 그 원인은 잘 알려져 있지 않다. 또한 그 종류에 따라서 시간이 지나면 저절로 사라지는 것과 치료가 필요한 것이 있다.

치료가 필요한 반점

색소모반 :
지름 3~8mm의 편평하거나 단추모양으로 융기한 흑갈색의 원형 반점. 선천성 색소성 모반이라고도 함

태전모반 :
뺨이나 눈 주위에 생기는 갈색, 푸른색 반점

편평모반 :
카페오레(밀크커피) 반점이라고도 불리는 편평한 갈색반점

단순성혈관종 :
포도주색 반점 (port-wine stains)이라고도 하는 편평한 적색반점, 상태를 살펴보는 것이 좋은 반점

딸기혈관종 :
생후 1주일에서 1개월경에 나타나는 딸기모양의 결절

몽고반점 :
신생아나 유아의 등, 궁둥이에 나타나는 청색반점. 동양인종에 널리 나타남

연어반 :
이마나 눈꺼풀, 목 등에 생기는 연한 핑크빛 반점

*반점의 종류를 알기 어렵다면 피부과 전문의에게 상담하는 것을 권한다.

Q04

귀지가 눅눅하다. 혹시 병에 걸린 건 아닐까?

2명의 아이가 있는데 둘 다 귀지가 눅눅하다. 선천적인 병일까?

A 귀지가 눅눅한 것은 체질이므로 걱정할 필요 없다. 귀 청소는 면봉으로 하자.

귀는 유전적으로 '건조한 귀'와 '습한 귀'가 있다. 아이들의 귀지가 눅눅한 것은 유전적으로 '습한 귀'로 태어났기 때문이다. 체질상의 문제이기 때문에 걱정하지 않아도 된다.

동양인은 유전적으로 건조한 귀가 많아 귀이개로 귀를 청소하는 습관이 있다. 반면 습한 귀가 많은 서양인은 귀이개 대신 샤워 후 면봉으로 귀 입구를 살짝 닦는 정도로 끝낸다.

줄곧 건조한 귀였던 아이가 갑자기 귀 속이 눅눅해지거나 액(분비물)이 흘러나오는 경우는 중이염 등의 가능성이 있다. 이런 경우에는 반드시 이비인후과에서 진찰을 받아야 한다. 이처럼 귀 상태가 평소와 다른 경우에는 주의해야 하지만 선천적이라면 걱정할 필요 없다.

Q05

한밤중에는 우유를 먹이고 나서 양치질을 해줄 수 없다. 혹시 충치가 생기는 건 아닐까?

9개월 된 여자아이다. 모유나 분유는 달기 때문에 충치가 생기기 쉽다는 말을 들었다. 밤에는 깨워서 양치질을 해줄 수 없어 걱정된다.

A. 치석이 없으면 모유나 분유로는 충치가 생기지 않는다.

아기의 치아는 조그맣고 예뻐서 하나씩 날 때마다 기쁘다. 하지만 이가 나기 시작하면 충치가 걱정된다. 모유나 분유에 포함된 유당은 치아의 표면에 치석(플라크)이 있으면 산(酸)을 만들어 충치의 원인이 된다. 그렇지만 평소에 꼼꼼히 양치질을 하여 치석이 없는 상태라면 충치는 걱정할 필요 없다.

이가 나고 2살이 넘을 때까지 우유병으로 주스를 마시며 자는 습관이 있으면 앞니 안쪽에 우유병 우식증(bottle caries)이라는 충치가 생기기 쉽다. 이유식을 시작하고 밥과 과자를 먹게 되면 식후와 취침 전에 이를 깨끗이 닦아 치아 표면에 치석이 남지 않게 하자.

양치질은 첫니가 났을 때부터 시작한다. 그리고 이를 닦은 후에는 설탕이 함유된 음료를 주지 않도록 하자. 또한 우유병에 분유나 차 이외의 음료를 넣어서 마시는 버릇도 생기지 않도록 주의하자.

양치질을 좋아하게 하기 위한 단계

4개월경 치아발육기를 쥐어준다.
이가 나기 전에 근질근질한 잇몸을 마사지해주고 나중에 칫솔로 옮겨가는 데도 도움을 준다.

6개월경 칫솔 형태의 치아발육기로 바꿔준다.
가능하면 칫솔에 가까운 형태의 치아발육기로 바꾼다. 만에 하나 아기가 입에 문 채로 넘어져도 입 속 깊이 들어가지 않도록 링이 붙어있는 것을 고르자.

6~9개월경 이가 나면 양치질 개시
이가 하나라도 나면 양치질을 시작한다. 가제 손수건으로 닦거나 손가락으로 닦는 것이 아니라 처음부터 칫솔로 확실하게 닦아주자.

Q06

귀 청소를 굉장히 싫어한다. 가만히 있질 않기 때문에 위험해서 귀 청소를 할 수가 없다.

2살 된 남자아이다. 처음 귀 청소를 했을 때 아팠는지 귀 청소를 하려고만 하면 도망 간다. 귀 속에 귀지가 가득 차 있지 않을까 불안하다.

A 귀 청소는 의사에게 맡기자.

아기 때는 집에서 귀 청소를 하지 않는 편이 좋다. 면봉으로 귀를 자극하면 오히려 귀지가 늘어나는 경우도 있기 때문이다. 목욕할 때 가제 손수건을 적셔서 귀 뒤쪽이나 귓바퀴 등 보이는 부분만 닦아주면 된다.

귀 속 청소는 정기 검진 시 이비인후과 전문의에게 맡기자. 어릴 때는 코감기나 통증이 없는 삼출성 중이염에 걸리기 쉽기 때문에 3개월에 한 번씩 검진을 받는 것이 좋다. 이비인후과에서는 전용 확대경으로 귀 속을 보면서 청소할 수 있기 때문에 안전하다.

아이가 자는 동안 귀 청소를 하는 것도 바람직하지 않다. 자고 있을 때 귀를 만지면 무의식적으로 손이 귀로 가거나 머리를 움직일 수 있기 때문에 오히려 더 위험하다. 4살이 넘어 어느 정도 말을 알아듣게 되면 '엄마가 됐다고 할 때까지 가만히 있는 거야.'라고 다짐을 받은 후 빨리 끝내도록 하자.

귀 청소를 하다보면 자칫 깊은 곳까지 파게 되는 경우가 있다. 귀 속 깊은 곳에는 통증을 느끼는 부분이 있기 때문에 주의해야 한다. 한 번이라도 통증을 느끼게 되면 귀 청소를 더욱 싫어하게 될 것이다.

이 밖에도 아이들이 싫어하는 것으로 안약을 들 수 있다. 뾰족한 물체가 눈에 가까이 오는 것은 어른에게도 공포감을 준다. 안약을 넣을 때는 아래 일러스트와 같이 아이를 무릎에 눕히고 눈을 감게 한다. 그런 다음 눈시울에 안약을 한 방울씩 떨어뜨리고 눈 꼬리를 살짝 잡아당긴다. 그러면 눈을 감은 채로도 깔끔하게 안약을 넣을 수 있다. 이때 눈시울을 살며시 눌러주면 눈물샘에서 비루관을 통해 약이 코로 빠져 나가는 고통도 방지할 수 있다.

Step1

eye

Step2

이관이 부어서 막히면 고막 안에 침출액이 고여 만성화되는 상태. 귀가 잘 들리지 않게 되지만 통증이 없기 때문에 알아채기 어렵다.

Q07

혹시 O다리가 아닐까?

2살 반으로 아직 기저귀를 하고 있기 때문에 뭐라고 단정하기는 어렵지만, 왠지 O다리 같다. 내버려두면 저절로 고쳐지는 걸까?

A 초등학생이 될 때까지는 발달단계로 계속 형태가 변한다.

아기가 막 걷기 시작할 때는 몸에 비해 머리가 크고 무겁다. 머리를 지탱하기 위해 그런 자세가 되는 것이다. 게다가 기저귀를 하고 있기 때문에 다리가 벌어진 느낌이 들 수 있다. 얼핏 보면 O다리로 보이는 경우가 많을 것이다.

아이들은 걷기 시작하고 3, 4세까지는 대부분 O다리 경향을 보인다. 유아기에는 X다리에 가까워지고 초등학교에 들어갈 무렵 다시 O다리에 가까워진다. 고관절의 발달에 따라 조금씩 변하는 것이다. 대체로 초등학교에 들어갈 무렵의 형태가 그대로 유지된다. 따라서 아기 때는 O다리일까 걱정하지 않아도 된다.

Q08

코딱지를 파서 먹는다.
보기에 좋지 않아 그만두게 하고 싶지만
이미 버릇이 된 것 같다.

3살 된 여자아이인데 코딱지를 자주 파서 먹는다. 어설프게 주의를 주면 오히려 더 심해질 것 같아 어떻게 말해야 좋을지 고민이다.

A 코딱지를 먹어도 병에 걸리지는 않는다.

코딱지를 먹는 것이 건강이나 위생적인 면에서 문제가 되는 건 아니다. 하지만 외관상의 문제로 그만두게 하고 싶으면 '그건 지지니까 먹으면 안 돼.'라고 이야기하는 수밖에 없다. 어린 아이들은 맛에 상관없이 뭐든 일단 입에 넣고 보는 경향이 있다.

그보다는 코딱지가 자주 생기는 이유를 생각해보자. 코감기나 알레르기성 비염이 있는 걸지도 모른다. 코로 손이 가지 않게 하기 위해서는 우선 코딱지가 생기는 원인을 발견하자. 그리고 항상 코를 깨끗하게 해주는 것이 좋다.

Q09
노리개 젖꼭지를 빼면 손가락을 심하게 빤다. 어떻게 해야 할까?

생후 9개월인데 노리개 젖꼭지를 뺐더니 손가락을 빨기 시작한다. 졸릴 때나 울고 난 후에는 소리가 날 정도로 심하게 빤다. 치열이 나빠지지는 않을까 걱정이다.

A 4살까지는 손가락을 빨아도 영구치에 영향을 주지 않는다.

손가락을 빨면 입술이 자극되어 기분이 좋아진다. 이 감각을 인지하게 되면 버릇이 된다. 하지만 아기들은 배가 고플 때도 손가락을 빨기 때문에 억지로 그만두게 하지 않아도 괜찮다.

3살이 지나도 그만두지 않을 때는 손가락이나 전신을 이용한 놀이를 통해 손가락을 빨 수 없는 환경을 만들어 준다. '손가락을 빨면 안 돼!'라고 억지로 그만두게 하면 뒤에서 몰래 하게 된다. 그렇기 때문에 손가락 놀이나 진흙놀이를 통해 자신도 모르는 사이 그만두게 하는 것이 중요하다. 5살 전까지 그만두면 영구치의 치열에는 영향을 주지 않는다.

손이 심심해서 손가락을 빠는 경우도 있다. 집짓기 놀이나 블록 등 손을 이용하는 놀이를 권하는 것도 한 가지 방법이다.

Q 10
귀두 포피는 벗기는 편이 좋을까?

5살 된 남자아이인데 귀두의 포피는 언제쯤 벗겨주면 좋을까? 목욕을 할 때도 포피를 벗기고 씻는 것이 좋을까?

A 목욕을 할 때마다 포피를 조금씩 벗기고 비누로 깨끗하게 씻자.

남자아이의 고추는 포피로 덮인 상태이기 때문에 귀두부와 그것을 덮고 있는 포피의 사이에 불순물이 끼기 쉽다. 제대로 씻지 않고 내버려두면 세균에 감염되어 염증(귀두포피염)이 발생하는 경우가 있다. 귀두를 씻을 때는 포피를 벗기고 귀두부를 노출시켜 씻는 것이 중요하다. 일러스트처럼 손가락으로 포피를 잡고 천천히 내리면 안에 있는 귀두부가 나온다. 귀두부는 무척 민감하기 때문에 처음부터 무리하게 노출시키면 아플 수 있다. 씻을 때마다 조금씩 벗겨주면 아이도 곧 익숙해질 것이다.

까꿍

포피를 벗기는 법
양손으로 고추 끝을 확실하게 잡고 서서히 아래로 내리면 포피입구가 넓어지고 귀두부가 나온다. 유착되어 있을 때는 더욱 신경 써서 세심히 내린다.

Q11
고추를만지는버릇이있다.
우리아이가좀별난것은아닌지걱정된다.

5살 된 남자아이인데 성기를 만지는 버릇이 있다. 어린이집에서도 만지는 건 아닐지 걱정이다. 어린이집 선생님에게 물어보고 싶지만 왠지 민망하다.

A '성기 만지기'는 발달 단계에서 흔히 있는 행동으로 결코 이상한 것이 아니다.

아이에게 고추를 만지는 것은 손가락을 빠는 것과 마찬가지로 안정감을 주는 행동이다. 유아기에 흔히 있는 일이기 때문에 걱정하지 않아도 된다. 이런 행동은 한가하거나 멍하게 있을 때 하기 쉽기 때문에 아이에게 손을 이용한 놀이를 권해보자. 놀이에 관심을 보이면 고추를 만지고 있는 손을 살짝 치워주자. '하면 안 돼.'라고 말로 하는 것보다 살며시 그 행동을 제지하는 것이 더욱 효과적이다. 이를 반복하면 자연스레 고추를 만지는 버릇은 사라지게 될 것이다. 할 일이 없거나 심심할 때 나오는 버릇이기 때문에 친구들과 노는 어린이집에서는 하지 않을 것이다.

Q12
김을 너무 많이 먹는다. 괜찮을까?

나살 된 여자아이다. 유독 김을 좋아해서 하루에 큰 김을 3장이나 먹는다. 건강에 해롭지 않을까 걱정 된다.

A 잠시 김을 치워두는 것은 어떨까?

미각은 아이의 성장과 함께 변해간다. 이 나이는 자신이 좋아하는 맛을 기억하는 시기이기 때문에 식사시간에 아이가 좋아하는 음식을 내주는 것이 좋다. 하지만 식사시간 이외에 김이나 과자를 주는 것은 아이의 식생활을 어지럽힐 수 있기 때문에 주의하자.

한 가지 음식에 대한 집착이 심하면 당분간 그 음식을 치워두는 것은 어떨까? '김 주세요.'라고 조르면 언제나 김을 놓아두는 장소를 보여주며 '우리 집에는 김이 없어.'라고 인지시키자. 언젠가는 포기할 것이다.

Q13
선크림은 매일 바르는 것이 좋을까?

1년 9개월 된 딸은 햇볕에 타기 쉬운 체질이다. 매일 선크림을 발라야할까? 어느 정도 타는 것은 괜찮을까?

A. 선크림 이외의 대책도 함께 생각하라.

건강한 피부를 가진 아이는 햇볕에 타도 예쁜 갈색으로 변했다가 곧 원래대로 돌아온다. 이런 아이는 굳이 선크림을 바르지 않아도 된다. 하지만 피부가 약하고 햇볕에 타면 빨갛게 되거나 가려움을 느끼는 아이는 선크림 이외의 대책도 생각하는 편이 좋다.

민감한 피부를 가진 아이는 선크림으로 인해 오히려 피부가 거칠어 질 수도 있다. 선크림은 피부를 건조하게 만들기 때문에 밖에서 돌아오면 가능한 빨리 씻어내고 충분히 보습을 해줘야 한다. 선크림에만 의존하지 말고 유모차에 차양을 달거나 모자를 씌우는 물리적인 방법으로 햇볕을 차단하는 것도 좋은 방법이다. 또 통풍이 잘되는 얇은 소재의 긴팔 옷을 입히는 것도 좋다.

민감한 피부를 가진 아기는 자극이 적은 선크림을 권한다.

Q14
이제곧3살인데머리카락이 잘자라지않는다.

머리카락이 자라지 않아 남 자아이로 오해받는 경우가 많다. 귀여운 옷도 어울리지 않아 속상하다. 언제까지 이 런 상태일지 걱정 된다.

A. 유감스럽지만 머리카락은 개인 차가 크기 때문에 기다리는 것 외에는 달리 방법이 없다. 일단 귀여운 헤어밴 드나 머리핀을 이용해보는 건 어떨까?

머리카락은 개인차가 크기 때문에 빨리 자라게 할 방법이 없다. 태어날 때부터 머리숱이 풍성한 아이 가 있는가 하면 3살이 넘어서야 겨우 자라기 시작하는 아이도 있 다. 또한 머리숱은 많지만 베개에 닿은 머리 뒤쪽만 벗겨지는 경우 도 있다. 하지만 머리카락이 길고 풍성하다고 다 좋은 것은 아니다. 목에 땀띠가 생겼을 때 머리카락이 땀띠를 자극하여 더욱 악화시키 는 경우도 있기 때문이다. 여자아이처럼 보이지 않는다면 헤어밴드 나 머리핀을 이용해보자. 최근에는 아기용 헤어액세서리도 다양한 디자인이 많이 나와 있다.

코르사주가 달린 헤어밴드를 이용하여 사랑스러움을 더한다.

Q15
콧물이나 기침이 나오면 약을 먹어야 할까?

4살 된 남자아이다. 열이 나면 병원에 가야겠지만, 열은 없고 콧물과 기침정도라면 상태를 지켜보는 것이 좋을까? 약을 먹여야 할까?

A. 10일 정도는 상태를 지켜봐도 괜찮다.

열은 없고 콧물과 기침만 조금 나는 정도라면 약을 먹이지 않고 상태를 지켜봐도 좋다. 아이들의 감기는 증상이 심하게 악화되는 경우가 아니라면 10일에서 2주 안에 저절로 낫는다. 하지만 열이 나거나 노란색 혹은 녹색 콧물이 나오고(비염의 우려) 한밤중에 기침을 하는 증상을 보이면 병원에 가도록 하자.

겨울에 콧물이 자주 나오는 것은 냉기가 원인이다. 방을 따뜻하게 하거나 두꺼운 옷을 입는 것만으로도 콧물을 줄일 수 있다.

Q16

여자아이의 성기는
어떻게 씻어야할지 모르겠다.

이제 곧 3살이 되는 여자아이다. 첫째가 아들이었기 때문에 여자아이의 성기는 어떻게 씻어야 좋을지 모르겠다.

A. 앞에서 뒤로 부드럽게 씻는 것이 기본이다.

여자아이의 성기는 요도나 질에 잡균이 들어가는 것을 막기 위해 앞에서 뒤로 씻는 것이 기본이다. 또한 외음부에 치구가 끼어 냄새가 나는 경우가 있기 때문에 거품을 낸 비누로 부드럽게 자주 씻어준다.

이제 3살이면 '앞에서 뒤로' '부드럽게 씻는 거야.' 라고 말을 하며 스스로 씻을 수 있도록 가르쳐 주자. 그리고 아이가 4, 5살이 되면 성기만큼은 꼭 스스로 씻게 하자. 그렇게 함으로써 일찍부터 '사타구니는 스스로 지켜야 하는 소중한 곳이다. 부모라도 함부로 만지게 하면 안 된다.'라는 인상을 심어주게 되는 것이다.

제1장 정리

건강과 몸에 관한 문제로 고민이라면 몇 달 전을 떠올려보자.
분명 아이의 성장을 느낄 수 있을 것이다!

기억할 것은 메모하셔서
꼭 활용하세요~

memo

모유와 분유에 관한 고민은 엄마와 아기의 체질과 성격에 따라 각기 다르다.

'모유는 제대로 나올까?' '아직도 모유를 끊을 생각을 안 한다.' '우유를 너무 많이 마신다.'

그중 특히 많은 고민을 뽑아 조산사에게 물어보았다.

제2장

모유와 분유에 관한 고민

Q17
생후 3개월인데 체중이 늘지 않는다. 모유의 양이 적은 걸까?

표준체중으로 태어났는데 3개월 동안 체중이 좀처럼 늘지 않는다. 지금은 모유만 먹이고 있는데 분유도 같이 먹여야 할지 고민이다.

A. 건강하고 생기 넘치면 괜찮다! 아이 나름의 발육 속도가 있다.

모유가 얼마나 나오는지 정확한 양은 알 수 없다. 그렇기 때문에 엄마는 아기의 체중이 늘지 않으면 혹시 자신의 모유가 부족한 탓은 아닌지 불안해하기 쉽다. 하지만 자주 움직이는 아기의 경우, 모유를 충분히 먹어도 소비 칼로리가 많아 체중이 잘 늘지 않을 수도 있다.

어른들도 대식가와 소식가가 있듯이 아기도 개인차가 있어 모두 같은 체형으로 자라지는 않는다. 포동포동한 아기도 호리호리한 아기도 각자 나름대로 건강하게 자라고 있는 것이다. 모유가 부족한지 충분한지는 다음의 일러스트를 참고하길 바란다. 분유를 같이 먹일지 말지도 이 기준을 참고한 다음 조산사나 의사에게 상담을 한 후 판단하도록 하자.

Q18

한밤중의 수유로 인해 수면부족 상태다. 아기가 곤히 자고 있을때도 깨워서 먹여야할까?

생후 5개월이 됐는데, 가끔은 밤에 깨우지 않고 그냥 자게 한다. 굳이 깨워서 모유를 먹여야 할까? 가능하면 나도 한밤중 수유는 건너뛰고 푹 자고 싶다.

A. 모유수유가 궤도에 오르면 한밤중 수유는 건너뛰어도 괜찮다.

모유를 만드는 호르몬 중 하나인 프롤락틴은 출산 직후 많이 분비되는데, 아기가 젖을 빨 때도 분비된다. 그렇기 때문에 모유수유가 궤도에 오르는 3개월경까지는 꾸준히 수유를 하는 것이 중요하다. 또한 밤중에 분비량이 늘어나기 때문에 가능한 한 한밤중에도 수유를 하는 것이 좋다. 만약 아기의 체중이 순조롭게 늘고 밤에 깨지 않고 푹 자면 모유수유가 궤도에 올랐다는 증거다. 그렇게 되면 프롤락틴 분비를 위해 굳이 한밤중까지 수유를 할 필요는 없다. 하지만 밤중에 수유를 하지 않으면 젖이 부풀어 잠을 잘 수 없는 경우도 있다. 잠을 잘 수 없을 만큼 가슴이 당기면 기저귀를 간다든지 해서 아기를 깨우고 수유를 하는 편이 좋다.

한밤중에는 누운 채로 수유를 하는 것이 편하다. 누운 채로 살짝 가슴을 꺼내고 아기를 끌어안으면 OK.

Q19

우유를 너무많이 마시면
알레르기가생길까?

생후 1년 반 된 아들은 우유를
광장히 좋아해서 자주 마신
다. 우유를 너무 많이 마시면
알레르기가 생기는 건 아닌
지 걱정이다.

A. 우유를 많이 마신다고 알레르기가
생기지는 않는다.

알레르기는 체질상의 문제이기 때문에
많이 마신다고 알레르기가 생기는 것은 아

니다. 다만 우유를 너무 많이 마시면 배가 불러 나중에 밥을 안 먹
게 될 수도 있기 때문에 주의가 필요하다. 밥을 잘 먹지 않는 아이
가 우유는 하루에 500ml 이상 마시는 경우도 있다. 그러므로 생후
1년 반이 되었다면 우유는 하루에 300ml 이내로 제한하자.

칼슘은 유제품에서 얻는 것이라고 생각하는 엄마들이 많은데,
채소나 해초, 작은 생선으로도 충분히 섭취할 수 있다. 우유에만 기
대지 말고 마른 멸치나 녹미채(톳) 등을 식단에 넣어보자.

아이가 우유를 좋아한다고 무한정 마시게 하는 것은 좋지 않다.
하루에 마실 양을 정해놓고 그 외에는 차나 다른 음료를 마시게 하
자. 꾸준히 지속하면 금방 습관이 될 것이다.

Q20
모유를먹일때마다유두를물어서아프다!

2살 된 아들은 모유를 먹일 때 유두를 세게 무는 경우가 많다. 아무리 아기라지만 너무 아프다. 이제 모유를 끊는 게 좋을까?

A. '엄마 이쪽을 봐줘요!'라는 사인이다.

이가 나기 시작한 아기에게 유두를 물리면 너무 아파서 무심코 소리를 지르게 된다. 아기가 수유 중 유두를 깨무는 것은 엄마에게 심술을 부리는 것이 아니다. 수유가 익숙해진 엄마는 휴대전화를 만지거나 수다를 떨면서 수유를 하게 되는 경우가 많아진다. 아기도 처음 몇 개월은 모유를 먹는 것에만 집중하지만 3, 4개월쯤 지나면 주위가 보이기 시작하고 엄마가 뭘 하고 있는지도 알게 된다. 엄마가 산만한 모습을 보이면 '나한테 집중해줘요.'라고 유두를 깨무는 것이다.

가만히 앉아 수유를 하고 있으면 무심코 딴 생각을 하게 되기 마련이다. 하지만 '바쁠수록 돌아가라.'라는 말을 떠올리며 느긋한 마음으로 아기에게 집중하자. 그리고 유두를 물렸을 때는 낮은 목소리로 '아프니까 그만둬.'라고 말하면 의외로 아기도 알아듣고 그만둔다. '꺅'이나 '아파'라고 귀엽게 소리를 지르면 아기는 엄마가 기

뼈한다고 착각하기 때문에 주의하자. 가끔 빨대가 달린 컵을 사용
하면서부터 유두를 깨무는 아기가 있다. 이럴 때는 잠시 빨대 컵을
멀리하면 유두를 깨물지 않게 된다.

아기는 엄마의 주의가 자신에게서 벗어나면 '이쪽을 봐줘요.'라며
유두를 깨물어 사인을 보낸다. '깨물면 안 줄 거야.'라고 수유를 멈
추면 더 심하게 물고 늘어질 수 있으므로 느긋한 기분으로 아기에
게 집중하자.

Q21
1년 2개월이 됐는데 아직도 모유를 떼지 못했다. 모유는 언제까지 먹여야 할까?

아기가 원하기 때문에 모유를 떼지 못하고 있다. 2살이 넘을 때까지 모유를 먹이고 있는 사람이 주위에 없기 때문에 초조하다.

A. 아기와 엄마가 만족할 때까지라면 언제까지라도 상관없다.

같은 개월 수의 아기가 모유를 끊은 걸 보면 '우리 애도 끊어야 할까?' 라고 조급해진다. 하지만 언제까지 모유를 끊어야한다는 것은 정해지지 않았다. 아기와 엄마가 만족할 때까지 천천히 즐겨라.

엄마들은 아이의 성장 발달에 관해 자기도 모르게 경쟁을 하려는 심리가 있다. 예를 들어 다른 아이보다 모유나 기저귀를 일찍 떼거나, 걸음마나 말을 빨리 하면 자기 아이가 더 뛰어나다고 생각한다. 반대로 자기 아이가 다른 아이보다 늦어지면 우리 아이에게 문제가 있는 건 아닌지 걱정한다.

이런 성향 탓에 '아직도 모유를 먹여요?'라는 말을 들으면 자존심이 상할지도 모른다. 다른 사람의 이목이 신경이 쓰인다면 수유는 아이와 단 둘이 있을 때 하도록 하자. 아이가 2살 반 정도가 되면 약속을 할 수 있게 된다. 아이가 모유를 조르면 '집에 가서 먹자.' '차에서 먹자.'라고 약속하고 둘이서 편하게 모유육아를 즐기면 된다. 굳이 '아직도 모유를 먹이고 있어요.'라고 주위에 말할 필요는 없다.

하루 한 번이라도 모유를 먹이는 한 모유는 끊이지 않는다. 모유수유의 목적이 영양섭취뿐이라면 다른 식사를 통해서도 충분히 채울 수 있다. 하지만 아기에게 모유는 단순한 음식이 아닌 마음의 영양이다. 그렇기 때문에 모유를 끊는 시기는 다른 사람이 결정하는 것이 아니다. 낮의 식사량과 활동량이 점차 늘어나면 밤에도 깨지 않고 곤히 자게 된다. 그러면서 자연히 모유를 끊게 될 것이다. 초등학교에 들어가서까지 모유를 먹는 아이는 거의 없기 때문에 느긋하게 이 시기를 즐기도록 하자.

임신과 육아로 잠시 일을 쉬었던 워킹 맘도 직장 복귀에 맞춰 급하게 모유를 끊지 않아도 된다. 아기에게 모유를 먹이는 시간은 일 모드에서 가정 모드로 스위치를 전환할 수 있는 귀중한 시간이 될 것이다. 엄마의 몸은 신비로운 것으로 회복 후 1주일 정도 지나면 아침과 밤에 모유를 먹이면 점심때는 가슴이 부풀지 않게 된다.

아이가 밖에서 놀고 싶어 할 때 밖에 나가는 것이 귀찮아서 '그럼 젖 먹을까?'라고 유도하여 젖으로 입 다물게 하는 것은 그만두자.

Q22

모유 수유를 하면 가슴이 처진다고 들었다. 가슴 모양이 걱정된다.

모유가 좋다는 것은 알지만
수유기가 지나면 가슴이 처
지고 체형이 망가질까봐 걱
정된다.

A. 언더 바스트를 확실히 받쳐주는 브라를 고르자.

수유 중에는 유선을 보호하기 위해 와이어가 있는 짱짱한 브라는 피해야 한다. 그렇기 때문에 출산 전보다 가슴이 처진 듯한 기분이 들지도 모른다. 가슴 모양이 걱정된다면 언더는 확실히 잡아주고 컵은 넉넉한 브라를 선택하자.

수유기가 끝난 다음 체형을 보정해주는 속옷을 착용하는 것도 한 가지 방법이다. 하지만 가장 중요한 점은 힘든 출산과 수유를 끝낸 자신을 자랑스럽게 생각하는 것이다. 그러면 출산 후의 체형도 사랑스럽게 느껴질 것이다.

바스트 업에 효과 있는 대흉근 트레이닝도 추천한다. 기도를 하는 포즈로 손바닥을 강하게 밀거나 느슨하게 하는 것을 반복한다.

Q23
모유를 끊었는데도 가슴을 만지고 싶어 한다.

3살이 되고 얼마 지나지 않아 고열에 시달린 적이 있다. 그 때부터 잠잘 때면 가슴을 만지고 싶어 한다. 언제까지 계속 될까?

A. 부드럽고 말캉한 엄마의 가슴은 아기에게 안심감을 주는 근원이다.

아이들은 엄마의 부드러운 가슴을 만지면 안심감을 느낀다. 이밖에도 엄마의 팔이나 귓불을 만지며 자는 아이도 많다. 만지지 못하게 하면 더욱 집착하게 되므로 아이 스스로 만지지 않게 되는 방법을 고안해야 한다.

예를 들면 풍선에 녹말을 푼 물을 넣어 가슴과 비슷한 크기의 물풍선을 만든다. 그것을 가슴에 넣어뒀다가 아이가 잠 들 때 꺼내서 가슴대신 만지며 잠들게 하는 방법이 있다. 이처럼 엄마의 가슴과 감촉이 비슷한 장난감을 이용하는 것도 좋은 방법이다.

아이들은 성장함에 따라 흥미의 대상도 변한다. 그리고 낮에 활동량이 점점 많아지면 잠자리에 눕자마자 잠들게 될 것이다.

제2장 정리

모유든 분유든 가장 중요한 건 아기와의 스킨십이다!

기억할 것은 메모하셔서
꼭 활용하세요~

memo

육아의 3대 고민은 '자지 않는다.' '먹지 않는다.' '울음을 그치지 않는다.'이다.

'낮잠을 전혀 자지 않는다.' '밤에 쉽게 잠들지 않는다.' '잠버릇이 심하다.' 등

아이가 잘 자지 못하면 부모도 숙면을 취할 수 없다.

수면에 관한 전문가에게 조언을 구해보자.

제3장

수면에
관한
고민

Q24

2살 8개월인데 낮잠을 전혀 자지 않는다. 잠이 오지 않는 걸까?

낮에는 노는 것에 열중하여 낮잠을 전혀 자지 않는다. 밤 중에 갑자기 우는 것도 아직까지 계속 하고 있어 내가 먼저 지쳐버린다.

A. 오전 중의 활동이 생활리듬을 조정하는 열쇠다! 우선 일찍 일어나는 것부터 시작해보자.

아기는 생후 3개월경부터 밤낮이 뒤바뀌는 경우가 있다. 하지만 본능적으로 필요한 수면을 취하고 있기 때문에 잠이 부족하지 않을까 걱정할 필요는 없다. 그리고 3, 4개월 이후에는 어른과 마찬가지로 밤에 길게 자고 부족한 양은 낮잠으로 보충한다. 2살 전후에 낮잠을 자지 않는 것은 아침에 일어나는 것이 늦어져 오전 중 활동량이 불충분하기 때문일지도 모른다.

낮잠은 보통 오후 1시부터 3시까지 자는 것이라고 생각하는 사람이 많다. 하지만 의외로 낮잠은 오전 10시 반에서 11시 반까지 1시간정도 자는 것이 가장 좋다. 그 편이 더 상쾌하게 일어날 수 있고 오후 활동도 활발해 진다. 또한 밤에 빨리 잠들게 되기 때문에 아이를 재우는 부모도 편해진다. 오전 중에 낮잠을 재우기 위해서는 늦어도 아침 7시에는 깨우도록 하자. 바쁜 아침에는 아이가 자고 있는 편이 가사에 도움이 된다고 생각하는 엄마도 있을 것이다. 하지만 아침에 일찍 깨워서 낮잠과 저녁 취침이 앞당겨지면 엄마도 밤에 자기만의 시간을 만들 수 있다.

아이는 자기 전에 TV를 보면 신경이 흥분하여 쉽게 잠들지 못한다. 뿐만 아니라 심부체온이 내려가지 않아도 잠들지 못한다. 그렇기 때문에 목욕을 한 뒤에는 바로 잠자리로 보내지 말고 그림책을 읽어 주는 등 체온을 낮출 시간을 갖은 다음 재우는 것이 좋다.

Q25

4살이 다 되가는데 아직도 밤중에 자주 깬다. 덕분에 엄마 아빠도 수면부족으로 힘들다.

3살 9개월 된 딸은 밤 9시쯤 자는데 11, 12시만 되면 깨버린다. 중간에 깨지 않고 아침까지 푹 자는 경우가 거의 없다. 다른 아이들은 어떤지 궁금하다.

A. 아이들이 수면이 얕은 시간대에 살짝 깨는 것은 흔히 있는 일이다.

4살이면 낮에 있었던 일을 꿈을 꾸거나 하여 깨버리는 경우가 있다. 등을 토닥토닥 두드려주면 금방 다시 잠들게 되므로 걱정하지 않아도 된다. 어른들도 적정 수면 시간이 각자 다르듯이 아이들의 수면에도 개인차가 있다. 밤중에 자주 깨서 낮에 피곤해 하거나 활동에 지장이 있으면 대책이 필요하다. 하지만 낮의 활동에 특별히 영향이 없으면 신경 쓰지 않아도 된다.

가장 중요한 것은 아이의 생활리듬을 일정하게 하는 것이다. 그리고 아이를 부모의 생활패턴에 맞추지 않도록 주의해야 한다.

대부분 아이들은 7살 정도가 되면 더 이상 밤중에 깨지 않게 된다. 유치원에 들어가서 낮 동안의 활동이 왕성해지면 아이들도 나

름대로 긴장과 피로가 쌓여 밤에는 푹 잘 수 있게 되는 것이다. 그
때까지 아이와 같은 시간에 자거나 함께 낮잠을 자는 방법으로 수
면부족을 극복하도록 하자.

Q26

잠결에 울면서 잠꼬대를 하는 경우가 많다. 대답을 해줘야 할까?

잠꼬대에는 대답을 하면 안 된다는 말을 들은 적이 있다. 하지만 대답해주지 않으면 울면서 화를 내버리기 때문에 곤란하다.

A. 대답해줘도 괜찮다. '괜찮아, 괜찮아.'라고 안심시켜 줘라.

잠꼬대에는 대답을 하면 안 된다는 말이 있지만 과학적인 근거는 없다. 따라서 아이가 울면서 잠꼬대를 할 때는 적당히 대꾸해줘도 문제되지 않는다.

예를 들면 유치원에 다니기 시작할 무렵에는 유치원에서 있었던 일을 엄마에게 호소하듯이 'ㅇㅇ가 화를 냈어.' '△△, 왜 그런 짓을 하는 거야.' 라고 말하는 경우가 있다. 그때는 머리맡에서 '그럼 내일 유치원에 가면 ㅇㅇ에게 사과하자.'라고 말해주자.

아이들은 렘REM 수면 시 불안감을 느끼면 엄마를 찾거나 꿈에서 본 것을 웅얼거린다. 그렇기 때문에 '알았어.' '엄마 여기 있어. 이제 괜찮아.'라고 다정한 말을 듣거나 엄마의 온기를 느끼면 안심하고 다시 잠든다.

또한 개월 수에 따라서는 엄마로부터 멀어지는 불안감=분리불안을 느끼는 경우도 있다. 이 시기에는 '혼자서 잘 참았네.'라고 아이를 껴안아주며 안심시키면 된다.

Q27
2살 된 아이가 수면 중에 자주 끙끙거린다. 굉장히 신경 쓰인다.

잘 자고 있지만 자면서 '으응' 이라고 끙끙거리는 일이 많다. 무서운 꿈이라도 꾸고 있는 걸까?

A. 잠꼬대나 기지개일 가능성이 높다.

아이들이 수면 중에 잠꼬대를 하거나 끙끙거리는 것은 흔한 일이므로 신경 쓰지 않아도 된다. 아직 말을 하지 못하는 아이는 '저거 싫어.' '이렇게 하고 싶었어.'라고 제대로 말할 수 없기 때문에 꿈을 꾸면서 '으응' '음냐, 음냐'라고 하는 것이다.

수면의 깊이에 따라서는 '으음'이라고 기지개를 켜고 있는 걸지도 모른다. 어른들도 기지개를 켤 때 입을 다물고 하기보다 '으응'이라고 소리를 내는 편이 보다 개운한 느낌이 든다. 아이들도 분명 그런 느낌으로 소리를 내는 것이다.

Q28

잠버릇이 심해서 같이 자기 힘들다.

2살 반 된 아들은 잠버릇이 무척 심하다. 나란히 자면 내 위에 올라타거나 심하게 움직여서 푹 잘 수가 없다. 언제부터 혼자 잘 수 있을까?

A. 스스로 납득하면 다른 방에서 자게 된다.

아이들은 잠버릇이 나쁜 것이 당연하다. 남자아이라서 잠버릇이 특히 심한 건 아니다. 아이의 잠버릇 때문에 잘 수 없다면 수면환경을 바꿔보는 것은 어떨까? 부모의 침대 옆에 아이용 침대를 놓고 아이와 손이 닿도록 하는 것도 좋은 방법이다.

아이가 아직 마음의 준비가 되지 않은 상태에서 혼자 방을 쓰게 하는 것이 바람직하지 않다. 아이가 어느 정도 자라고 스스로 납득하면 자립하게 될 것이다. 지금은 멀리 보고 '좀 더 크면 혼자서 잘 수 있겠지?'라고 말해두자. 적절한 시기가 오면 쉽게 납득하고 혼자서 자게 될 것이다.

엄마와 아빠의 사랑
아이들은 애정을 충분히 받았다고 느끼면 반드시 자립한다. '혼자서 방에서 자고 싶어.' '할머니 집에서 자고 오고 싶어.'라고 아이 스스로 말을 꺼낼 때까지 기다리자.

제3장 정리

억지로 재우지 않는 것이 아이를 잘 재우는 요령이다!?

기억할 것은 메모하셔서
꼭 활용하세요~

memo

대소변 가리기는 아이의 성장에 맞춰 단계별로 진행하는 것이 중요하다.

(기저귀 → 어린이 변기 → 화장실)

대소변 가리기는 개인차가 있어, 우리 애만 늦어지는 건 아닌지 걱정하는 엄마들이 많다.

너무 조급하게 생각하지 말고 아이의 성장과 함께 즐기도록 하자.

제4장

기저귀와
대소변
가리기에
관한 고민

Q29

12개월인데 벌써 빅 사이즈 기저귀를 하고 있다. 이대로라면 조만간 맞는 사이즈가 없는 건 아닐까?

나이보다 몸집이 커서 빅 사이즈 기저귀를 쓰고 있다. 기저귀를 뗄 나이는 아직 한참 멀었는데 그때까지 쓸 수 있는 사이즈의 기저귀가 있을까?

A. 다양한 브랜드의 기저귀를 시험해보자.

아기의 몸은 걸음마를 시작하고 활동량이 점점 늘어나면 전체적으로 날씬하고 단단해진다. 2살 전후에는 배나 허벅지가 통통한 전형적인 '아기 체형'이지만, 3살이 되면 허리와 허벅지가 점점 날씬해지는 것이다. 즉, 아기가 자란다고 해서 기저귀 사이즈까지 점점 커지는 것은 아니다.

그래도 걱정이 된다면 지금 사용하고 있는 기저귀뿐만 아니라 다양한 브랜드의 기저귀를 시험해보자. 기저귀는 브랜드에 따라 허리둘레나 허벅지 둘레의 사이즈가 조금씩 다르기 때문에 맞는 기저귀를 찾을 수 있을 것이다. 또한 회사마다 견본 샘플을 제공하는 곳도 있기 때문에 그것을 이용하면 도움이 될 것이다.

Q30

대소변을 제대로 가리지 못하면 무심코 화내고 때려버린다.

4살 된 남자아이라 거의 화장실에서 볼일을 본다. 하지만 계속해서 옷이나 이불에 실수하면 무심코 머리를 때리거나 소리를 질러버린다. 다른 엄마들은 어떻게 하고 있을까?

A. 급할수록 돌아가라. 잠시 배변 훈련을 멈춰보자.

배변훈련은 성공과 실패를 반복하면서 조금씩 성공률이 올라간다. 처음부터 '자, 오늘부터 옷에 쉬야 안하기!'라고 다짐해도 곧바로 성공하는 아이는 없다. 실패하는 것이 당연하다고 생각하고 느긋한 마음으로 연습하자. 옷이나 이불이 더러워지는 것이 걱정된다면 무리하게 면 팬티를 입히기보다 배변훈련팬티를 입혀보는 건 어떨까? 배변훈련팬티를 입힌다고 지금까지 해온 배변훈련이 없었던 일이 되는 것은 아니다. 오히려 아이에게 안도감을 줘서 배변훈련이 더 잘 될 수도 있다.

다른 아이와 비교하여 속도를 맞추려고 하는 것은 아이나 엄마에게 큰 스트레스가 된다. 방광 기능이 발달하고 뇌와 행동의 균형이 잡히면 대소변은 자연히 가릴 수 있게 된다. 천천히 성장을 지켜보자.

어디까지나
하나의
가설일
뿐이다

배변훈련용 팬티
소변을 보면 아이에게는 축축한 느낌이 나지만 밖으로는 새지 않는 팬티

Q31
남자아이는 처음부터 서서 소변을 보게 하는 것이 좋을까?

3살 10개월로 배변훈련 중이다. 남자아이는 처음부터 서서 소변을 보도록 가르치는 것이 좋을까? 고추를 손으로 잡도록 해야 할까?

A. 처음에는 어린이 변기에 앉아서 소변을 보도록 한다.

처음부터 서서 소변을 볼 필요는 없다. 훈련을 막 시작했다면 어린이 변기나 좌변기에 앉아서 소변을 보게 하는 것이 편하다. 훈련이 끝나고 스스로 화장실에서 볼일을 볼 수 있게 되면 서서 소변을 보는 방법을 가르치자. 처음에는 더러워져도 청소하기 쉬운 장소에서 연습하도록 하자.

서서 소변을 볼 수 있게 되면 다음에는 스스로 바지를 중간까지 내리고 고추를 꺼낼 수 있게 가르치자. 이렇게 단계별로 가르치는 것이 효과적이다.

Q32

소변은 화장실에서 볼 수 있게 됐는데 대변은 아직도 기저귀에 한다.

4살 1개월이 되었다. 소변은 화장실에서 볼 수 있게 됐는데 대변은 꼭 숨어서 기저귀에 눈다. 언제쯤 화장실에서 할 수 있을까?

A. 발이 바닥에 닿고 힘을 주기 쉬운 자세를 만들어 준다.

숨어서 볼 일을 보는 것은 대변이 나오는 것을 인지하고 있다는 것이다. 문제는 대변을 보는 장소와 방법이다. '기저귀 말고 화장실에서 하면 엄마가 굉장히 기쁠 거야.'라고 반복해서 말하자.

화장실 보조변기는 발이 흔들거려 힘을 줄 수 없기 때문에 기저귀에 볼 일을 보는 아이도 많다. 발판을 만들거나 발이 닿는 어린이 변기를 사용하여 힘주기 편한 자세를 만들어 주자. 또한 유치원이나 어린이집은 아이용 화장실 시설을 갖추고 있기 때문에 유치원 선생님에게 협력을 구하는 것도 좋다.

세면대나 변기 등 아이의 발이 닿지 않는 것이 많기 때문에 화장실에 놓아두면 유용하다.

Q33

4살 5개월 된 남자아이다.
밤에는 아직도 기저귀를 하고 있다.
어떻게 해야 완전히 뗄 수 있을까?

낮에는 기저귀를 차지 않는 다. 하지만 새벽에 옷에 소변 을 보는 일이 많아 밤에는 기 저귀를 채워야 한다. 어떻게 해야 기저귀를 완전히 뗄 수 있을까?

A. 자는 동안 기저귀에 소변을 보지 않는 날이 계속되면 벗겨보자.

낮에 기저귀를 차지 않는 것과 밤에 차지 않는 것은 전혀 다르다. 낮에는 스스로 의식을 하고 있기 때문에 대뇌피질이 활발히 활동하고 있다. 따라서 방광에 소변이 차는 것을 느끼고 화장실에서 소변을 볼 수 있다. 반면 수면 중에는 대뇌피질이 쉬고 있기 때문에 방광에 소변이 차 있는 걸 알지 못한다. 방광 기능이 발달하여 항이뇨 호르몬이 나오면 밤에는 소변 량이 줄어들게 된다. 그렇게 되면 자연히 아침에 일어나서 소변을 보게 된다. 기저귀는 방광 기능이 발달하면 자연히 뗄 수 있게 되므로 너무 서두를 필요는 없다. 지금은 기저귀를 채우고 자는 동안 소변을 보지 않는 날이 1주일 정도 지속되면 그때 벗기도록 하자.

방수 시트
방수 가공이 되어 있기 때문에 밤에 오줌을 싸도 이불이 젖지 않는다.

Q34
볼일을 본 다음 스스로 닦지 못한다.

4살 7개월로 대소변은 완벽하게 가린다. 하지만 대변을 본 후 스스로 닦지 못한다. 지금은 내가 닦아주지만 이제 곧 유치원에 들어가야 하기 때문에 초조하다.

A. 스스로 하도록 시키고 엄마가 체크하자.

대변을 제대로 닦지 않으면 팬티도 더러워지고 냄새도 신경 쓰인다. 그렇기 때문에 엄마가 먼저 닦아주게 된다. 하지만 연습을 위해서는 스스로 할 수 있도록 시켜보고 잘 닦였는지 체크하는 것이 좋다. 처음에는 제대로 닦지 못하는 것이 당연하다. 깨끗이 닦이지 않았으면 '이렇게 닦는 거야.'라고 가르쳐 주자.

잘 닦았을 때는 '와, 혼자서도 잘하네.'라고 칭찬하면 다시 해보려는 마음이 들 것이다. 또한 유치원에 들어가면 친구들이 스스로 닦는 것을 보고 '해볼까.'라는 마음이 들 것이다.

Q35

여자아이는 기저귀를 갈 때마다 티슈로 닦아주는 것이 좋을까?

6개월 된 여자아이다. 남자아이는 소변을 본 후 닦아주지 않아도 된다. 여자아이의 경우는 어떨까? 소변을 봤을 때도 닦아주는 것이 좋을까?

A. 닦아주지 않아도 위생적인 면에서는 문제없다.

엄마가 알아서 판단해도 될 문제다. 아기의 소변은 깨끗하기 때문에 위생적인 면에서는 닦지 않아도 괜찮다. 그렇지만 굳이 신경이 쓰인다면 닦아줘도 상관없다. 주의할 점은 엉덩이를 닦을 때 티슈에 쓸려서 염증이 생길 우려가 있다는 것이다. 부드러운 소재의 코튼을 물에 적시거나 아기용 물티슈를 사용하는 것이 좋다.

또한 기저귀 안에 수분이 남아있으면 피부가 짓무르는 원인이 된다. 기저귀는 엉덩이가 잘 마른 다음 채우자.

Q36

겨우기저귀를뗐다. 하지만화장실에서 소변을 볼 때 소변이 똑바로 나가지 않는다.

4살 반이 된 남자아이다. 겨우 화장실에서 소변을 볼 수 있게 됐는데 소변이 이리저리 튀어서 바지를 적시는 경우가 많다. 어떻게 가르쳐야 좋을까?

A. 고추를 손으로 받치고 잡도록 가르쳐 주자.

아이의 고추는 귀두부가 포피로 덮여 있기 때문에 그대로 소변을 보면 소변이 이리저리 튀게 된다. 소변을 볼 때는 포피를 자기 쪽으로 당겨서 소변의 출구(외요도구)를 꺼낸 다음 누도록 가르쳐 주자. 아이가 어려워하면 아빠에게 시범을 보여 달라고 하는 것도 좋은 방법이다. 포피의 끝(포피구)이 굉장히 좁아 포피를 잡아당겨도 귀두부가 전혀 나오지 않는 경우도 있다. 무리하게 당기면 아플 수 있으므로 목욕을 할 때 조금씩 잡아당겨 포피구를 넓히도록 해 보자.

Q 37
4살이 지난 다음 기저귀 떼기를 시작하면 기저귀 떼기가 늦어진다는 게 사실일까?

동생이 생기거나 시기가 겨울이면 기저귀 떼기가 쉽지 않다. 4살이 지나서 시작하면 기저귀 떼기가 늦어진다고 들었는데 정말로 그런 걸까?

A. 아이의 발달에 따라 각기 다르기 때문에 연령으로 구분할 수 없다.

기저귀 떼기는 시작하는 시기에 따라 늦고 빠름이 결정되지 않는다. 4살이 지나서 시작해도 1주일이나 3일 만에 기저귀를 뗄 수 있는 아이도 있다. 기저귀를 떼는 시기는 아이의 방광 기능이 얼마나 발달해 있는지에 따라 달라진다.

4살 반이 되어도 기저귀를 떼지 못하는 아이도 있고 3살에 떼는 아이도 있다. 하지만 초등학교에 들어갈 때까지 기저귀를 하고 있는 아이는 없다. 그러므로 느긋한 태도로 우리 아이의 발달에 맞는 시기까지 기다리자.

제4장 정리

아이가 보내는 소변과 대변의 신호를 관찰하자.

기억할것은 메모하셔서
꼭 활용하세요~

memo

'낯가림이 심해서 유치원 보내는 게 걱정이다.' '옷에 대한 집착이 강하다.'

'울보라서 곤란하다.' 등 엄마의 고민은 다양하다.

다른 사람들은 '개성'이라고 여길지도 모르지만 내 아이의 경우에는

그냥 지나칠 수 없는 문제다. 이럴 때는 관점을 살짝 바꿔보는 것이 좋다.

제5장

성격에
관한
고민

Q38

낯가림이 심하다.
유치원에 잘 적응할 수 있을지 걱정이다.

우리 딸은 낯가림이 심하다. 유치원 선생님과 이야기하거나 모르는 사람과 인사하는 것이 힘들다. 어떻게 해야 조금 더 적극적인 성격이 될까?

A. 주위를 잘 관찰하는 민감한 성격을 존중해주자.

아이들은 모르는 사람을 만나거나 익숙하지 않은 장소에 가면 말이 없어지거나 평소와 다른 모습을 하는 경우가 종종 있다. 이것을 보고 우리 애는 낯가림이 심한 건 아닐까 라고 걱정하는 엄마들이 많다. 하지만 집에서는 말이 많은 경우라면 신뢰할 수 있는 사람 앞에서는 충분히 자신을 드러낼 수 있는 아이다. 유치원에 익숙해지면 부끄러워하지 않고 선생님과도 이야기할 수 있게 될 것이다.

반면 낯선 장소뿐만 아니라 집에서도 자신을 표현하는 것에 진중한 성격을 가진 아이도 있다. 이런 아이는 낯가림이 심하다기보다 다른 아이에 비해 민감하고 섬세한 면을 지니고 있는 것이다. 이것도 멋진 개성이다.

'우물쭈물 하지 말고 얼른 인사해야지!'라고 강요하지 말자. 아이의 모습을 지켜보면서 '사실은 안녕하세요 라고 할 수 있지?' '그럼 엄마랑 같이 말할까?'라고 엄마가 대신 인사하는 것도 좋다. 그러는 사이 가족이외에도 옆집 아줌마나 유치원 선생님과도 자연스레 이야기할 수 있게 될 것이다.

지금의 낯가림이 커서도 계속 될까? 내가 같이 가지 않으면 아무데도 못가는 건 아닐까? 유치원에서 늘 울고 있는 건 아닐까? 라고 걱정하기 쉽다. 하지만 아이들은 의외로 시간이 지나면 금방 적응한다.

자신의 마음을 표현할 수 있도록 하는 연습을 시키자. '노란색과 빨간색 중 어떤 색이 좋아?' '많은 것과 적은 것 중 어느 쪽?'처럼 둘 중 하나를 선택하는 질문을 하는 것도 좋은 방법이다. 어렸을 때부터 '나는 이것이 좋아.' '싫어.'를 말할 수 있도록 연습해보자.

섬세하고 민감한 성격을 가진 부끄럼쟁이는 좋은 의미로 개성을 인정해 주면 배려심이 깊고 다정한 아이가 된다. 나중에 따돌림을 당하는 건 아닐까 걱정하는 엄마들도 많을 것이다. 하지만 오히려 개성을 인정해주는 것이 아이에게 자신감을 갖게 한다. 앞으로 다양한 사람을 만나면서 자신을 드러내는 방법을 익혀간다.

Q 39

자기 마음에 들지 않으면 소리 지르며 심하게 날뛴다! 정말 지친다.

3살 8개월 된 딸은 자기 뜻대로 안 되면 바닥에 드러누워 심하게 날뛴다. 말 그대로 패닉 상태가 된다. 언제쯤 진정될까?

A. 마음을 안정시키는 것은 아직 부모의 원조가 필요한 시기다.

아이는 지금 스스로도 어떻게 할 수 없을 정도로 불쾌한 상태다. 그것을 '알아주길 바란다.'는 사인을 보내고 있는 것이다. 결코 부모를 곤란하게 하려는 게 아니다.

한창 패닉을 일으키고 있는 중에 혼내면 오히려 상태를 오래 끌 뿐이다. 아이가 마음을 안정시키려면 아직 부모의 도움이 필요한 시기이다. '그래. 많이 싫었구나.'라고 아이의 기분을 받아들이고 다정하게 등을 토닥여 주자.

그래도 진정되지 않으면 다른 사람의 눈을 신경 쓰지 않아도 되는 장소, 아이가 원하는 만큼 날뛸 수 있는 장소로 아이를 안고 이동하자. 그런 다음 '앗, 벌레가 있네!' '아이스크림 먹을까?'라고 기분을 전환시켜 진정되게 한다. 아이가 진정되면 '역시 언니답네.'

울음을 그쳐서 기뻐.'라고 말하자. 그리고 울음을 그치고 날뛰지 않으면 좋은 일이 있다는 것을 알 수 있게 한다.

그러는 사이 엄마가 뭘 하면 싫어하고 뭘 하면 기뻐한다는 것을 알게 된다. 그리고 사랑하는 엄마가 싫어하는 일은 하지 말자는 마음이 싹트면 울며 날뛰는 일도 줄어들 것이다.

사람은 누구나 좋아하는 사람에 대해서는 민감해진다. 진정해 있을 때 가득 애정을 주고 '엄마 너무 좋아!'라는 마음을 저금하게 한다. 그러면 사랑하는 엄마가 곤란해지는 일은 하지 않게 된다.

Q40
4살된딸은옷에대한집착이강해서 자기가좋아하는옷밖에입지않는다.

자기가 멋있다고 생각하는 옷만 입는다. 잘 골랐을 때는 괜찮지만……. 내가 고른 옷 은 무조건 싫다고 해서 곤란 하다.

A. 조금 이상하더라도 아이가 고른 것을 입히자.

자기가 좋아하는 옷을 입고 싶어 하는 마음은 패션에 흥미와 관심이 있다는 증거다. 분명 엄마도 세련된 스타일일 것이다. 아이가 고른 옷이 엄마의 취향이 아니어도 당분간은 아이의 선택을 존중하자. 또한 아이가 좋아하는 옷은 2, 3벌 준비해 놓고 세탁 시 번갈아 입히는 것이 좋다. 평소에는 이렇게 아이가 마음에 들어 하는 옷을 입게 하고 아이가 고른 옷을 칭찬해 주자.

그리고 외출을 하거나 특별한 날에는 '오늘만은 엄마가 고를게.'라고 설득한다. 평소에 자신의 선택을 인정받은 만큼 쉽게 양보할 것이다. 그러는 사이 엄마가 골라준 옷을 입었을 때가 다른 사람들에게 예쁘다는 말을 많이 듣는다는 것을 알게 된다. 그렇게 되면 모녀가 즐겁게 옷을 고를 수 있게 될 것이다.

Q41
또래보다 체구가 커서 같이 노는 친구를 다치게 하지 않을까 걱정이다.

우리 애는 4살인데 5살 정도로 체구가 크다. 살짝만 부딪쳐도 상대 아이가 넘어져서 걱정이다.

A. 집에서 부모가 놀이를 통해 힘 조절을 가르쳐 주자.

아이가 몸집이 크면 주위로부터 '잘 먹고 건강해서 좋겠어요.'라고 부러움을 받는다. 하지만 크면 큰대로 고민이 있다. 3~4살에는 아직 말을 제대로 하지 못하기 때문에 손이나 발이 먼저 나가버리는 경우가 많다. 같은 나이라도 몸집이 큰 아이의 행동은 더욱 눈에 띄어 '폭력적인 아이'라는 낙인이 찍히기도 한다.

또 친구와 사이좋게 놀려는 생각으로 '장난감 빌려줘.'라고 했는데, 몸집이 작은 아이가 겁먹고 '자. 가져가.'라며 마지못해 장난감을 건네는 경우도 있다.

친구와 트러블이 있으면 이것을 계기로 아이에게 '힘으로 사람을 때리면 안 돼.' '이렇게 하면 상대방은 아파.'라는 것을 깨닫게 하자. 이런 트러블도 힘 조절을 위한 좋은 경험이라고 긍정적으로 받아들이는 것이 중요하다.

아이에게 미세한 힘 조절은 아직 어렵기 때문에 우선 집에서 힘 조절을 가르치자. 집 안에서 엄마를 밀치거나 부딪치면 '아프니까 하지 마.' '밀면 안 돼.'라고 그 자리에서 말한다. 어른이라 별로 아프지 않다고 봐주면 나중에 친구에게도 똑같은 행동을 하게 된다. 아직은 어른과 또래친구에게 힘을 가려 쓰는 것이 불가능한 시기이다. 따라서 가정에서의 예행연습이 아이의 원활한 친구관계에 도움이 된다.

아픈 척 연기 중

Q42

아이가 너무 얌전하다. 소극적인 성격이 아닌지 걱정된다.

4살 된 아들은 소극적인 성격이다. '싫어.'라는 말도 못하고 언제나 친구가 하라는 대로 한다. 유치원에서 친구를 만들 수 있을지 걱정이다.

A. 강요하면 안 된다. 아이의 개성을 받아들이고 조금씩 집단에 익숙해지는 습관을 들이자.

아이들은 모두 활발하고 언제나 씩씩하게 뛰어 놀 것이라고 생각하기 쉽다. 하지만 아이들의 개성은 각양각색이다. 부모가 소극적인 성격이라 아이는 적극적이고 활달한 성격으로 키우고 싶어 하는 경우도 종종 있다. 하지만 소극적인 성격도 하나의 개성이다. 아이의 개성으로 받아들이자. 또 엄마가 친구가 되어 아이와 함께 놀며 조금씩 그 장소에 익숙해지게 하는 것이 좋다.

'싫어.'라고 대꾸하지 못해도 분명 내심 분할 것이다. 자신의 생각을 제대로 말하지 못해서 부모에게 꾸중을 받으면 아이는 점점 위축된다. '분했지? 다음번엔 확실하게 말해 주자.'라고 아이를 다독여 주자. 무슨 일이 있어도 부모는 자기편이라는 것을 알게 되면 '나는 괜찮아.'라고 자신감이 생긴다.

부모와 자녀는 마주선 거울이다. 아이의 성격이 자신과 닮아서 화가 나는 경우도 있고 전혀 달라서 이해할 수 없는 경우도 있다. 아이의 개성을 존중하고 실패했을 때 혼내는 것이 아니라 해냈을 때 칭찬하자.

Q43
여자아이인데 남자애처럼 개구쟁이라 걱정이다.

여자애답게 키우고 싶은데 남자애들과 노는 것을 더 좋아하는 개구쟁이다. 좀 더 얌전하게 하려면 어떻게 해야 좋을까?

A. 우선 부모가 '~다움'에 대한 집착을 버려야 한다.

자신이 어렸을 때 '여자아이는 여자아이답게'라는 말을 듣고 자랐을지도 모른다. 하지만 과연 '여자애답다.'는 게 뭘까?

직업에도 남녀 구분이 사라진지 오래다. 여자 우주 비행사도 있고 남자에게도 육아휴직이 인정되는 시대이다. 무심코 떠올리는 '여자애다움'이 지금 시대에 맞는 건지 잘 생각해보자.

요리, 청소, 세탁 등 여자가 신부수업을 하고 결혼하는 것이 당연한 시대는 이미 지났다. 가사는 편리한 가전제품이 대신해주고 도우미를 쓰거나 전문 업체에 맡기는 일도 많다. 부모에게 아이를 키우는 것은 '이건 이렇게 해야만 해.'라는 고정관념에 대해 다시 한 번 생각할 수 있게 하는 절호의 기회다.

그리고 지금은 개구쟁이인 여자아이가 사춘기가 되어 갑자기 변하는 경우도 있다. 남자아이도 마찬가지다. 아이들은 자라면서 점점 변해가기 때문에 지금의 모습에만 신경 쓰는 것은 좋지 않다.

Q44

문이 열려 있으면 꼭 닫아야 할 정도로 신경질적이다. 이대로 괜찮을까?

3살 9개월 된 남자아이다. 문이 열려있으면 반드시 닫아야 한다. 또 손이 지저분한 것을 굉장히 싫어한다. 너무 신경질적인 것은 아닌지 걱정된다. 이대로 내버려둬도 괜찮을까?

A. 새로운 발견을 집요하게 반복하는 '마이 붐'은 자연스러운 현상이다.

뭔가 흥미를 끄는 일에 열중하는 것을 '마이 붐(My Boom)'이라고 한다. 어른뿐만 아니라 아이들도 처음으로 그 원리나 법칙을 발견하면 열중하게 되는 '마이 붐'이 있다.

예를 들어 문을 밀면 쾅하는 소리와 함께 문이 닫히는 것을 발견하면 그 원리를 알 때까지 몇 번이고 끈질기게 해본다.

내용에 따라 다르지만 마이 붐이 3개월 정도 계속되는 경우도 종종 있다. 흥미의 대상이 바뀌면 자연히 마이 붐도 끝나기 때문에 잠시 상태를 지켜보는 것이 좋다.

Q45
자동차나 전철을 너무 좋아한다. 왜일까?

움직이는 것을 굉장히 좋아
한다. 그래서 장난감과 그림
책은 자동차나 전철과 관련
된 것이 대부분이다. 그림동
화책도 읽었으면 좋겠는데
전혀 흥미가 없는 것 같다.

A. 공간지각능력이 높기 때문에
입체적인 동체에 끌린다.

남자아이의 뇌는 우뇌와 좌뇌의 정
보가 교차하기 힘든 것이 특징이다. 그
결과 삼차원 공간의 인식력이 높다. 그
래서 거리나 크기를 측정하는 것이 특기가 되고, 입체적인 물체나
움직이는 것을 굉장히 좋아한다. 이에 해당하는 것이 자동차와 전
철인 것이다. 입체적인 동체가 달리는 것을 보고 두근거리는 것은
어른이 되어도 좀처럼 변하지 않는다.

아이들에게 그림을 그리게 하면 여자아이는 주로 평면적인 그림
을 그린다. 하지만 남자아이는 2, 3m정도의 높은 지점에서 지상을
조망한 조감도를 그리는 아이가 많다.

Q46

4살된 남자아이인데
금세 들떠서 도를 넘는 행동을 한다.

친구들과 놀다보면 금세 들떠서 도를 넘는 행동을 한다. 그래서 늘 상처가 끊이지 않는다. 언제쯤 자신의 행동을 조절할 수 있을까?

A. 도를 넘어선 일을 반복하고 실패하면서 배우는 시기이다.

아이가 늘 상처를 달고 사는 것은 걱정이 아닐 수 없다. 사실 남자아이의 뇌는 상념의 세계에 빠져 들기 쉽고 뭐든 도를 넘어서기 쉬운 것이 특징이다. 이것은 어른이 되어도 변하지 않는다. 그래서 취미에 빠지거나 수집벽이 있는 건 대부분 남자다.

남자아이는 위험한 일을 반복하고 게임에도 쉽게 빠진다. 그리고 그 결과 어떻게 되는지 반복을 통해 학습하고 행동을 자제할 수 있게 된다. 그러므로 도를 넘어선 행동도 많이 위험하지 않은 선에서는 '경험을 쌓고 있는 중이야.'라고 이해하고 지켜보자.

남자아이의 뇌는 현실을 파악하는 우뇌와 상념을 그리는 좌뇌의 제휴가 좋지 않다. 그렇기 때문에 상념의 세계에 빠져 들면 현실로 좀처럼 돌아오지 못하는 특징이 있다.

Q47

울보다.
울면 뭐든 다 된다고 생각하는 것 같다.

울면 뭐든 다 들어준다고 생
각한다. 그래서 요즘에는 울
음을 그칠 때까지 내버려둔
다. 이 방법이 괜찮을까?

A. 울음을 그칠 때까지 내버려두
면 그러는 사이 이해한다.

이런 경우는 그냥 내버려 두는 것이
가장 좋다. 울어서 갖고 싶은 물건을 얻
거나 자기에게 유리한 상황을 만들려고 할 때는 절대 응하지 말자.
울도록 내버려두는 것이 가장 좋은 방법이다.

아이가 계속 울어봤자 고작 30분정도다. 곧 울다 지쳐 울음을 그
칠 것이다. 울음을 그치면 '이야, 울음을 그쳤구나.'라고 칭찬한다.
울지 않고 다른 방법으로 자신의 요구를 말할 수 있게 되면 '잘 말
했어.'라고 칭찬해 주자.

제5장 정리

아이의 개성적인 성격으로 받아들이면 된다!

기억할 것은 메모하셔서
꼭 활용하세요~

memo

아이가 짜증을 많이 내는 3살부터 가정교육에 관한 고민이 늘어난다.

'아이는 칭찬으로 키워야 한다지만 현실은 그렇지 않다.'

'TV나 DVD를 보여줘도 될까?' 등 요즘 엄마들의 고민에 대답한다.

제6장

가정교육에
관한
고민

Q48

아이가 2살이 되고 나서부터 아이에게 '안돼 안돼.'라고 화내는 일이 늘었다. 너무 야단치는 걸까?

아이에게 '안 돼'라는 말은 되도록 하지 않는 것이 좋다고 하지만 하지 않을 수 없다. 구체적인 교육법이 알고 싶다.

A. 호기심의 표현이다. 관대하게 봐주자.

아이의 뇌는 2살이 지나면 외부 세계와의 관계성을 구축하기 시작한다.

예를 들면 '컵을 쓰러뜨리면 어떻게 될까' '우동을 쥐고 휘두르면 어떻게 될까' 등 외부 세계에 대한 호기심에 사로잡혀 '실험=장난'을 반복하게 된다. 물리학자가 우주의 수수께끼를 해명하기 위해 가설과 실험을 반복하는 것과 아이의 뇌 속에서 일어나는 일은 같은 것이다. 호기심이 유난히 강한 아이는 장래 물리학자가 될지도 모른다.

이 시기에 너무 '안 돼 안 돼.'라고 하면 뇌의 호기심 자체를 막을 가능성도 있다. 위험하지 않은 일은 '실험, 이건 실험이야. 장래 물리학자가 될지도 몰라.'라고 관대하게 봐주자. 외부 세계의 법칙을 납득하면 머지않아 장난도 멈추게 될 것이다. 혼내서 못하게 하기 때문에 자꾸 하는 것처럼 느껴진다. 순순히 하도록 내버려두면 오히려 한 두번으로 끝나는 경우도 많다.

Q49

한창 신경질을 부리는 3살이다. 매사에 신경질적이라 곤란하다.

시간이 없을 때 옷을 갈아입히거나 밖에 나갔을 때 신경질을 부리면 정말 난처하다. 이럴 때 어떻게 하면 좋을까? 그리고 언제까지 계속되는 걸까?

A. 이 시기가 지나면 괜찮아진다. '원래 이런 시기니까.'라는 마음으로 관대하게 생각하자.

'미운 3살'이라고 불리는 이 시기 아이들은 매사에 신경질적이다. 뭐든 싫어하는 시기다. 일부러 심술을 부리고 이런 자신을 부모가 받아들여주는지 시험하고 있다. 그리고 정면에서 부정 당하면 납득하지 못한다. 그렇다고 해서 뭐든 허락해주면 아이는 규칙을 터득하지 못한다.

어떤 행동은 해도 되고 어떤 행동은 하면 안 되는지 아이도 나름대로 주위 세계를 알고 싶어 한다. 그래서 착한 행동과 나쁜 행동을 모두 하면서 주위의 반응을 보고 학습하고 있는 시기인 것이다.

친구를 때리거나 장난감을 뺏는 등 나쁜 행동을 할 때는 몸을 껴안아 붙들어서라도 안 된다고 말한다. 어느 정도 받아줄 수 있는 행동을 할 때는 '싫었구나.'라며 받아주자. 나쁜 행동을 했을 때는 확실하게 제지시키고 그 밖의 행동에는 '원래 이런 시기니까.'라고 받아들이는 것이 이 시기를 빨리 벗어날 수 있다.

'엄마는 내가 불쾌하거나 짜증났을 때 내 마음을 이해해줘. 하지만 지나친 행동을 했을 때는 엄청 무서워.'라고 행동 범위를 학습한다.

'미운 3살'은 '스스로 하고 싶다.'는 자아가 싹트는 시기이다. 하지만 스스로 하기엔 서투르고 미숙하기 때문에 짜증을 내고 신경질을 부리는 것이다. 아이의 손재주나 발달에 맞춰 스스로 할 수 있는 것을 찾아 주는 것도 좋은 방법이다.

Q50

왼손잡이는 고쳐주는 것이 좋을까?

우리 아이는 왼손잡이다. 나중에 학교에 들어가거나 어른이 됐을 때 불편하지는 않을까? 하지만 무리하게 고쳐주는 건 좋지 않다고 들었는데……

A. 무리한 교정은 아이에게 부담이 된다.

왼손잡이에 대해서는 여러 가지 설이 있다. 하지만 최근에는 '선천성'이라는 설이 유력하다. 뇌의 구조나 활동이 관련되어 있기 때문에 억지로 고치려 들면 아이에게 부담이 되는 경우도 있다. 따라서 부모가 나서서 무리하게 고쳐 줄 필요는 없다.

학교나 회사에 들어가도 왼손잡이라는 이유로 불편하거나 손해를 보는 일은 없을 것이다. 그리고 지금은 왼손잡이용 도구도 다양하게 나와 있어 생활에 별다른 지장도 없다. 너무 걱정하지 않는 게 좋겠다.

Q51

3살 반이 된 아들은 할머니 앞에서만 떼를 쓴다.

내가 시어머니 앞에서는 혼내지 않는다는 걸 간파하고 있다. 그래서 할머니가 같이 있을 때 맞춰서 '이거 사줘, 저거 사줘.'라고 떼를 쓴다.

A. 시어머니에게도 우리 집의 규칙을 확실하게 말하자.

엄마 아빠는 아이가 아무리 사랑스러워도 잘못한 일은 혼내고 예절을 가르쳐야 할 의무가 있다. 하지만 할아버지 할머니는 손자를 마냥 귀여워해 주기만 해도 되는 입장이다. 게다가 손자의 재롱을 보기 위해 이런저런 응석도 다 받아준다. 아이들은 이런 사실을 금방 파악한다. 또 엄마가 할머니를 조심스러워 하면 그 분위기를 알아차리고 일부러 떼를 쓰는 경우도 있다. 이럴 때는 육아에 대한 우리 집의 규칙을 할아버지 할머니에게도 이해시키는 것이 좋다. '장난감은 너무 많이 사주지 않는다.' '초콜릿은 많이 주지 않는다.' 등 미리 말해두는 것이 중요하다. 그러면 할머니도 '이거 줘도 될까?'라고 물어볼 것이다. 또한 엄마도 할머니 앞에서 조심스러워하지 않고 아이가 잘못 했을 때 혼낼 수 있을 것이다.

Q52

11개월 된 딸은 밥 먹을 때 음식을 갖고 장난치는 것을 좋아한다. 관대하게 봐주는 것이 좋을까?

식사 중에 일부러 스푼을 떨어뜨리거나 밥그릇을 던진다. 어떤 행동은 제지하고 어떤 행동은 봐줘도 될까?

A. 식사시간에 장난치기 시작하면 곧바로 손을 붙잡고 행동을 제지하라.

2살 전에는 노는 것과 먹는 것의 구별이 되어 있지 않다. 그렇기 때문에 음식이나 식기로 장난치는 경우가 많다. 또한 스푼이나 포크 사용이 미숙하기 때문에 음식을 손으로 집어먹기도 한다. 이런 행동은 괜찮다.

하지만 스푼이나 밥그릇처럼 원래 던지면 안 되는 것을 바닥에 떨어뜨리거나 던지려고 하면 재빨리 뺏거나 손이 닿지 않는 곳으로 떼어 놓자. 젓가락으로 밥그릇을 두드리는 것도 곧장 제지하자. '이건 먹는 것이야. 안 돼.'라고 상냥한 목소리로 타이르는 것은 별로 효과가 없다. 이 시기에는 하면 안 되는 행동을 했을 때 곧바로 제지하는 것이 중요하다.

많은 엄마들이 아이는 많이 먹으면 쑥쑥 자랄 거라고 생각한다.

그래서 아이가 먹을 수 있는 양보다 많은 양의 밥을 주는 경우가 있다. 하지만 아이는 이미 배가 불러서 남은 음식을 갖고 장난치는 것이다.

밥은 아이가 15분 안에 다 먹을 수 있는 양으로 준비한다. 영양 균형을 따져서 메뉴를 생각할 필요는 없다. 아이가 다 먹을 수 있는 양을 준비하고 스스로 그릇을 비우는 경험을 쌓는 것이 중요하다. 스스로 밥을 다 먹을 수 있게 되면 조금씩 양을 늘리도록 하자.

식사 시트
먹다 흘리는 것을 캐치할 수 있도록 바닥에 깔아두면 편리하다.

식탁용 매트
식기 아래 깔아두면 흘려도 통째로 빨 수 있다.

아이가 음식으로 장난치고 놀 때 엄마가 쫓아 다니며 밥을 먹이면 부모자녀 관계가 역전되어 버린다. 밥 먹을 때 장난치기 시작하면 재빨리 밥그릇을 치우자. 제대로 앉아서 식사하지 않으면 밥을 주지 말자. 배고픔을 가르쳐서 제대로 먹게 하는 것도 좋은 방법이다.

Q53

아이에게 TV나 DVD를 보여줘도 괜찮을까?

TV 시청이나 게임은 되도록 정해진 시간에만 하려고 한다. 하지만 무심코 녹화한 방송을 밤늦게까지 봐버리는 경우가 있다. TV를 보면서 밥을 먹는 것도 좋지 않은 습관일까?

A. TV는 시간을 정해서 부모와 자녀가 함께 보는 것이 좋다.

'3살 전의 아이에게 TV를 보게 하지 마라.'고 하는 것은 TV로 육아를 대신하는 것을 우려하기 때문이다. TV를 보는 것이 나쁜 것은 아니다. 하지만 아이 혼자서 시청하는 시간이 길어지면 부모와 자녀 간의 대화가 줄어들어 언어 발달이 늦어지는 경우가 있다.

저녁 식사를 준비할 때나 엄마가 옆에 앉아서 같이 시청할 때는 TV를 봐도 좋다. 아이와 함께 TV를 시청할 때는 같이 춤을 추거나 노래를 따라 부르자. 그리고 '어머, ○○가 나타났네. 깡충깡충하고 있네.'라고 아이와 대화를 하면서 시청하도록 하자.

장시간 TV를 시청하게 되면 생활리듬이 무너지거나 수면부족이 되기 쉽다. 그렇기 때문에 하루에 몇 분으로 규칙을 정하는 것이 중요하다.

식사 중에 TV를 보더라도 가족이 단란하게 식사를 할 수 있다면 나쁘지 않다. 하지만 TV에만 집중하여 식사를 제대로 하지 않게 된다면 *끄도록* 하자. 특히 아이가 4살이 될 때까지는 식사뿐만 아니라 옷을 갈아입거나 양치질을 할 때도 TV를 *끄도록* 하자. 이 시기에 아이는 생활의 기술을 습득한다. 엄마가 옷을 입혀줄 때도 '자, 바지 입자.' '구두에 발이 쏙'이라고 말을 하며 지금 하고 있는 행동을 의식시키는 것이 중요하다. 아이가 멍하니 TV에 집중하고 있을 때 엄마가 밥을 먹여주거나 옷을 갈아입혀 주면 나중까지 스스로 할 수 없게 된다.

식사 시간은 기껏해야 10분 15분 정도다. 아이가 좋아하는 방송이 있으면 '밥을 다 먹으면 TV 틀어줄게.'라고 약속하고 일단 *끄자.* 그러면 아이도 밥을 열심히 먹을 것이다.

Q54

'칭찬으로 키워라.'는 말을 자주 듣지만 실제로는 어렵다.

'칭찬으로 키워라.'를 실천하
고 있는 친구가 있다. 그런데
친구를 때렸을 때도 타이르
는 정도로 그치기 때문에
'그것뿐? 그래도 괜찮을까?'
라는 생각이 든다.

A. 칭찬도 중요하지만 다양한 감정을 경험하게 하는 것이 중요하다.

아이가 3, 4살 무렵에는 '안 돼!'라고 혼내게 되는 경우가 많다. 그래서 '칭찬으로 키워라.'를 실천하기란 좀처럼 쉽지 않다.

아이의 뇌는 감정의 움직임(희로애락의 낙차)에 의해 지성과 감성이 길러진다. '엄마가 내 마음을 알아주지 않아서 슬퍼.' '내 마음을 이해해줘서 기뻐.'라고 다양한 감정을 경험함으로써 마음과 뇌가 발달하는 것이다.

잘못을 했을 때는 확실하게 혼내야 한다. 그렇다고 해서 슬픈 마음이나 분한 마음만 반복하여 경험하게 되면 풍부한 감정이 자라지 않는다. 혼낼 때는 혼내더라도 애정과 고마움도 충분히 전하는 것이 중요하다.

뇌 과학에서는 아이가 착한 일을 했을 때, 칭찬보다 고마움이나 기쁜 마음을 전하는 것이 아이의 감정을 길러주는 데 효과가 있다고 한다. 아이가 착한 일을 했을 때는 '대단한데.'라기보다 '고마워.' '기뻐.'라고 말하자. 칭찬 받기 위해 착한 일을 하는 아이보다 사랑하는 사람을 기쁘게 하기 위해 착한 일을 하는 아이가 보다 부드러운 감성을 가진 아이로 자랄 가능성이 높다.

Q55
친구들의 머리카락을 잡아당긴다.

3살 반이 된 딸은 다른 아이들의 머리카락을 잡아당기는 것을 즐긴다. 어떻게 해야 그만둘까?

A. 무턱대고 말로만 타이르지 말고 행위 자체를 차단하라.

친구의 머리카락을 잡아당기면 곧바로 제지한다. 말로 가르치는 것이 중요하다고 생각하여 '그럼 못 써. 친구가 아파하잖아.'라고 다정하게 타이르는 엄마들이 많다. 하지만 아이에게 사랑하는 엄마가 눈을 맞추며 다정하게 말을 하는 것은 엄마를 독점할 수 있는 기쁨으로 연결된다. 따라서 같은 행동을 계속 되풀이하게 되는 것이다. 이럴 때는 반응하지 않고 행동을 제지하는 것이 가장 좋은 방법이다. 말로 타이를 때는 굵고 낮은 목소리로 '그럼 못 써.'라고 단호하게 말하는 것이 좋다.

Q56
같이 노는 친구가 나쁜 행동을 했을 때 아이에게 어떻게 가르쳐야 할까?

3살 4개월 된 여자아이다. '○○가 하고 있는 것은 나쁜 행동이야.' '따라하면 안 돼.' 라고는 말하기 어렵다. 좋은 방법이 없을까?

A. 뭐든 따라하는 시기이므로 내버려두자.

2, 3살 무렵에는 자신이 하고 있는 행동이 좋은 행동인지 나쁜 행동인지 잘 모른다. 그래서 다른 사람의 나쁜 행동도 곧잘 따라하게 된다. 하지만 나쁜 행동뿐만 아니라 좋은 행동도 많이 따라하고 있기 때문에 안심해도 된다. 다른 사람의 흉내를 내는 것은 그만큼 좋은 것도 많이 흡수하고 있다는 것이다.

아이가 4, 5살이 됐을 때 '저건 나쁜 행동이야.'라고 가르치면 아이도 이해할 수 있게 된다. 우리 집은 우리 집만의 규율과 예절이 있다는 것을 알려주면 다른 아이의 나쁜 행동은 따라하지 않게 된다.

Q57

2살 된 딸에게 매일 밤 그림책을 읽어주고 있지만 전혀 집중하지 않는다.

그림책을 읽어주면 페이지를 넘기며 놀 뿐 이야기에 전혀 집중하지 않는다. 그래도 계속 읽어줘야 할까?

A. 그림책의 재미를 알게 되면 이야기에 집중하게 될 것이다.

어른들은 새로운 이야기를 즐긴다. 하지만 아이들은 생활체험을 반복하고 다양한 사물을 인식하게 된 다음에야 이야기를 즐길 수 있게 된다. 그렇기 때문에 아이가 이해하기 힘든 내용보다는 단순한 소리나 말에 중점을 두고 읽어주는 것이 좋다. 아이가 페이지를 넘기면 손으로 그림을 가리키며 '개굴개굴.' '엉엉 울고 있네.'라고 읽어주는 것이다. 아이도 페이지를 넘길 때마다 엄마가 말해주는 단어나 소리에 재미를 느끼게 되면 '그림책 읽어줘.'라고 먼저 조르게 될 것이다. 그리고 그림책과 글자의 의미를 확실하게 인지하게 되면 이야기에 집중하게 될 것이다.

Q58

이제막3살이된아들은어린이집에 다니고있다.그런데같이노는친구를 물어버리는일이종종있다.

자기 뜻대로 되지 않으면 다른 사람을 물어버린다. '안 돼.'라고 말려도 계속 반복할 뿐이다. 어떻게 해야 고칠 수 있을까?

A. 자신의 마음을 말로 표현할 수 있게 될 때까지 조금 더 기다려 주자.

다른 사람을 물어뜯는 것은 자신의 마음을 제대로 표현할 수 없기 때문이다. 상대방에게 자신의 마음을 제대로 전할 수 있는 나이가 되면 저절로 고쳐진다. 마음을 말로 표현할 수 없는 것에 스트레스를 받고 있는 것이다. 말하자면 '친해지고 싶은데 다정한 말 한마디 건넬 수 없다→말로 표현하지 못하면 행동으로도 옮길 수 없다→친해지고 싶은데 방법을 모른다→신경질 난다→마음을 제대로 전할 수 없어서 날뛰거나 물어뜯는다.'는 심리인 것이다. 말을 제대로 할 수 있게 될 때까지는 부모가 아이의 기분을 대변해주는 등 다양한 방법을 생각하면서 상태를 지켜보자.

희로애락 모든 감정을
'꽉 깨무는 것으로 표현 중!!

제6장 정리

아이의 개성에 맞는 교육법을 궁리하고 찾아보자.

가억할 것은 메모하셔서
꼭 활용하세요~

memo

'자기중심적인 아이라 친구와 함께 있어도 혼자 논다.'

'높은 곳에 올라가는 걸 좋아한다.' '장난감에 대한 집착이 심하다.' 등

단순한 놀이에서도 부모는 '즐겁게 놀면 됐지.'라고 넘길 수 없는 경우가 많다.

제7장

놀이에
관한
고민

Q59

자기중심적인 아이다. 친구랑 있어도 혼자 노는 경우가 많아 걱정된다.

이제 막 유치원에 들어갔다. 친구들과 함께 놀지 않고 혼자서 좋아하는 놀이를 한다. 너무 자기중심적이라 친구를 잘 사귈 수 있을지 걱정된다.

A. 자기중심적이라도 괜찮다. 유치원 생활이 익숙해지면 점점 변할 것이다.

다른 아이들과 만날 기회가 적으면 자기중심적인 아이가 되는 경우가 있다. 집단생활을 접해본 적이 없기 때문에 무리에 들어갈 타이밍을 알지 못하는 것이다. 무리에 들어가 어울리는 것은 단체 줄넘기를 하는 것과 같다. 뛰어 들어갈 타이밍을 잘 아는 아이가 있는 반면 좀처럼 뛰어들지 못하는 아이가 있는 것이다. 혼자 놀면서 친구들과 어울릴 타이밍을 엿보고 있는 걸지도 모른다.

어린이집이나 유치원에서는 친구들과 함께 하는 놀이가 많다. 기차놀이와 같이 여럿이서 몸을 움직이는 놀이를 통해 일체감을 익히게 된다. 이런 경험을 쌓아가는 동안에 무리에 들어가는 타이밍도 파악할 수 있게 될 것이다.

유치원 선생님은 다양한 유형의 아이들을 다뤄온 베테랑이다.

상담을 통해 구체적인 조언을 받거나 아이가 집단생활에 익숙해 질
수 있도록 도움을 받는 것이 좋다.

Q60

남자애라 그런지 높은 곳에 올라가는 걸 좋아한다. 조마조마해서 한시도 눈을 뗄 수 없다.

높은 곳을 좋아한다. 올라가는 것 뿐만 아니라 뛰어내리는 것도 좋아하기 때문에 한시도 눈을 뗄 수 없다. 왜 높은 곳에 올라가려고 하는 걸까?

A. 높은 곳을 좋아하는 것은 남자아이의 '뇌' 때문이다. 위험하지 않으면 관대하게 봐줘라.

남자아이는 높은 곳에 올라가는 것을 좋아한다. 혼자 내려오지도 못할 정도로 앞뒤 생각하지 않고 올라가려고 한다. 그 원인은 남자아이와 여자아이의 뇌가 다르기 때문이다. 남자아이의 뇌는 우뇌와 좌뇌를 잇는 뇌량이 가늘어 정보 교차가 어려운 구조로 되어 있다. 그래서 길이나 삼차원의 공간인식도가 높다.

그렇기 때문에 높은 곳에 올라가 실제로 확인해 보려는 욕구가 강한 것이다. 아기 때는 멀리까지 기어가고 좀 더 자라면 높은 곳에 올라가서 뛰어내린다. 이런 체험을 통해 공간인식을 즐겁게 학습하고 있는 것이다.

한편 여자아이는 뇌량이 두껍고 상황 파악능력이 높다. 그렇기 때문에 상상력을 필요로 하는 소꿉놀이나 흉내 내기 놀이를 좋아한다. 이런 뇌 구조의 차이로 인해 엄마가 남자아이의 행동을 이해하지 못하는 것은 당연하다. 하지만 위험하지 않다면 아이의 호기심 충족을 위해 높은 곳에 오르는 것을 지켜보는 것이 좋다.

Q61

아이들끼리 싸울때
부모는 어떻게 대처해야할까?

4살 된 여자아이다. 같이 놀던 친구가 우리 아이에게 심술을 부렸다. 상대편 부모가 아이를 혼냈지만 우리 아이에게 사과는 하지 않았다. 이런 경우 어떻게 대처해야 할까?

A. 부모도 처음 겪는 일 투성이다. 아이들 싸움에 대한 대처법도 점점 익혀 가면 된다.

아이들끼리 놀다가 장난감을 뺏거나 무심코 때리는 것은 흔한 일이다. 이것은 친구에게 심술을 부리는 것이 아니라 다양한 '경험을 하는 중'일 뿐이다. 놀다가 싸우거나 옥신각신하는 경험을 통해 '이럴 때는 가까이 가지 않는 게 좋아.'라는 것을 배우고 있다.

그리고 자신도 상대 아이의 부모도 초보 부모로 서툴지만 노력하고 있다는 것을 이해하자. 물론 본능적으로 상대 아이와 부모를 비난하고 싶어지는 마음은 충분히 이해할 수 있다. 하지만 상대 아이의 부모가 그 자리에서 자기 아이를 혼내면 그걸로 충분하다고 생각하자.

침팬지의 경우에도 새끼 침팬지의 싸움에 부모가 끼어들어 부모끼리 싸움이 되는 경우가 있다. 결국엔 보스 침팬지가 끼어들어 싸움을 진정시킨다. 사실 부모가 신경 쓰는 만큼 아이는 상대방에 대해 신경 쓰지 않는다. 아이들끼리는 별거 아닌 다툼인데 부모가 민감하게 반응하는 걸지도 모른다. 침팬지처럼 되지 않도록 주의하자.

이런 경험을 반복하면 어떨 땐 참견해야 하고 어떨 땐 내버려둬야 할지도 알게 된다. 부모도 다양한 경험을 통해 성장하는 것이다. 아이들의 싸움에 직면했을 때 '좋은 경험을 했다.'고 기뻐할 수 있는 여유를 갖도록 하자.

일상적인 대화나 놀이 중 일어난 싸움인 경우,
아이들은 순식간에 다시 사이가 좋아진다.
오히려 부모가 싸움을 키우는 경우도 있으니 주의하자.

Q62
3살된 첫째가 최근 친구와의 트러블이 잦다. 둘째를 임신 중인 것과 관계있을까?

최근 장난감을 독점하거나 친구를 밀치는 행동을 자주 한다. 지금 둘째를 임신 중인데 그것이 관계있는 걸까?

A. 관계있다. 아이는 부모의 임신에 민감하다.

엄마의 임신은 아이에게 가장 중요하다!

아기에게 엄마를 뺏기면 자신은 어떻게 될지 견딜 수 없을 만큼 불안해지는 것이다. 그렇기 때문에 엄마의 주의를 끌기 위해 나쁜 행동을 하거나 떼를 쓴다. 이러한 '퇴행 현상'은 임신 중에서 출산을 한 다음까지 잠시 동안 계속 될 것이다. 그럴 때는 양쪽 모두 아기 취급을 해 주는 것이 좋다. 막 태어난 아기는 자고 있는 시간이 길기 때문에 그 사이 첫째 아이도 자주 안아 주자. 아이에게 '엄만 너도 사랑한단다.'라는 마음이 확실히 전해지면 된다.

Q63

3살 8개월 된 아들은 장난감에 대한 집착이 너무 심하다.

자기 맘에 든 장난감은 아무도 못 만지게 한다. 친구나 동생이 만지면 '내거야!'라고 소리 지르며 못 만지게 한다. 어떻게 해야 좋을까?

A. 자기 물건에 대한 집착은 어느 정도 존중해주자.

자기 것에 대한 집착이 강한 것은 뇌의 개성 중 하나이다. 이것은 어느 한 가지에 포기하지 않고 꾸준히 매진할 수 있는 자질로 이어진다. 따라서 자기 물건을 다른 사람에게 잘 빌려준다고 해서 착한 아이고 빌려주지 않는다고 나쁜 아이인 것은 아니다.

사람들 사이에는 '다른 사람이 멋대로 만질 수 없는 부분(개념, 물건)'을 기반으로 세계관을 넓혀가는 뇌 유형을 가진 사람이 있다. 이것은 창조적인 재능을 발휘하는 사람에게서 흔히 볼 수 있는 자질이다. 자기 물건에 대한 집착을 존중해 주자.

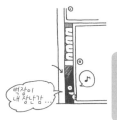

벌써이
내 장난감...

아무도 들어가거나 만질 수 없는 그 아이만의 공간(예를 들면 장난감 상자)을 확보해주는 것도 하나의 방법이다. 자신의 기점이 정해지면 물건에 대한 집착이 줄어드는 경우도 많다.

Q64
한가지 장난감에 집중하여 놀지 못한다. 주의력이 산만한 아이일까?

장난감을 계속해서 바꿔주기 때문에 집중력이 없는 걸까? 장난감이 마음에 들지 않으면 던지는 경우도 있어서 걱정된다.

A. 엄마가 같이 놀면서 차분하게 노는 즐거움을 알려주자.

장난감을 이용한 놀이는 연령이 올라가면서 점점 발전한다. 블록 같은 장난감도 처음에는 단순히 늘어놓기만 하다가 나이가 들면 실물을 보고 조립할 수 있게 된다. 그리고 자기만의 세계나 이야기를 만드는 등 점점 고도화 된다.

하지만 아무리 재미있는 놀이도 혼자서 하면 금방 질려버릴지도 모른다. 가끔은 엄마도 가사 일에서 손을 떼고 아이와 대화하면서 함께 할 수 있는 놀이를 하는 것이 좋다. 장난감을 던지는 것은 장난감이 마음에 들지 않아서가 아니라 그 상황이 마음에 들지 않아서 일지도 모른다. 아이가 놀이의 즐거움을 실감할 수 있도록 엄마도 함께 하자.

까아아~

다른 사람과 함께 노는 것도 즐겁다는 것을 깨우쳐주자. 몸 전체를 이용한 놀이도 좋다.

Q65

내가 피곤하면 산책을 하지 않는다. 아이에게 너무 미안하다.

밖에서 노는 것이 중요하다고 생각한다. 그래서 매일 공원에 데려가고 싶지만 피곤한 날에는 그냥 집에 있게 된다. 아이의 발달에 영향이 있을까?

A. 평소와 다른 경험도 중요하다.

피곤하고 지친 날에는 굳이 밖에 데리고 나가지 않아도 된다. 태어난 후 한 번도 밖에 나간 적이 없다면 문제가 되지만, 가끔 집에 있는 정도로는 발달에 영향을 주지 않는다.

그보다 다양한 패턴을 아이에게 경험시켜주는 것이 중요하다. 평소와 다르다고 해서 대단한 경험을 말하는 것이 아니다. 예를 들면 엄마도 활기가 넘치는 날이 있으면 조금 지쳐있을 때도 있다. 이렇게 엄마의 다양한 모습을 보여주는 것도 아이의 인생을 풍요롭게 한다. 너무 열심히 하지 않아도 된다.

Q66

대부분의 시간을 어른들과 지낸다. 또래 아이들과 놀지 않아도 괜찮을까?

근처에 또래 아이들이 적어서 대부분의 시간을 어른들과 보내고 있다. 또래 아이들과 지내는 시간을 늘리지 않아도 괜찮을까?

A. 4살이 될 때까지는 어른들의 세계에서 지내도 괜찮다.

비슷한 나이의 아이들이 떼 지어 자유롭게 노는 '무리지어 놀기'는 뇌 발달에 중요한 역할을 한다. '자기보다 어린 아이를 돌본다.' '나이 많은 아이를 필사적으로 따라간다.' '동갑인 아이와 서로 경쟁한다.'는 경험들이 '객관성'을 만들어내고 지성과 인간력의 기초가 된다.

이런 발달의 전성기는 5~8살 무렵이다. 4살 후반부터는 '무리지어 놀기'의 계기를 주는 것이 좋다. 그 전까지는 어른들 틈에서 평온하게 지내도 괜찮다. 엄마와 함께 노는 것을 좋아하면 억지로 아이들 무리 안에 밀어 넣지 않아도 된다. 엄마와 아이 둘만의 시간을 마음껏 즐겨라.

제7장 정리

다양한 연령의 아이들과 만날 수 있는 자리를 만들어주자.

기억할 것은 메모하셔서
꼭 활용하세요~

memo

사실 엄마들의 육아에 관한 '사소한 고민' 중에서

가장 많은 부분을 차지하는 것은 '남편'에 관한 고민이다.

아이가 태어나면 아무래도 예전과는 부부관계가 상당히 변하게 된다.

'전처럼 핑크빛 무드가 아니다.' '남편도 육아를 도와줬으면 좋겠는데

회사 일로 피곤해 보여 말을 할 수 없다.' 등의 고민에 답한다.

제8장

남편에 관한 고민

Q67

아이가 태어나고 서로를 엄마 아빠라고
부르고 있다. 그래서 남자와 여자라는
느낌이 사라졌다. 이대로 괜찮은 걸까?

아이가 태어나고부터 서로를
이름이 아닌 엄마 아빠라고
부르는 습관이 생겼다. 둘째
계획을 세우는 중인데 가질
타이밍을 서로 이야기하는
중인데……

A. 가끔은 아이를 맡겨두고 둘만의 시
간을 갖는 것이 좋다.

육아만으로 벅찬 시기지만, 이대로 있을
수 만은 없다. 아이가 생겨서 부부 관계가
변해가는 것을 '전과 달라져버렸어.'라고
한탄하지 말고 '새로운 관계로 진보했어.'라고 생각하자.

하지만 아이와 잠시 떨어져 두 사람만의 시간을 갖는 것도 중요
한 일이다. 육아가 안정되고 아이를 다른 사람에게 맡길 수 있게 되
면 잠깐이라도 둘이서 외출할 수 있는 시간을 만들어보자. 우리나
라에선 흔치 않지만 외국에서는 부부가 아이를 베이비시터에게 맡
기고 데이트하는 것이 자연스럽다. 아이를 잠시 다른 사람에게 맡
기더라도 아빠 엄마의 관계가 좋아지면 아이에게도 좋은 일이다.

엄마가 되면 365일 24시간 아이만 돌보는 것이 당연하다고 생각

하지 말자. 그리고 가족 다 함께 외출하는 것도 좋지만 가끔은 부부만의 시간을 갖도록 노력하자. (사오토메 도모코)

Q68

육아에 지쳐서 남편이 눈치 없는 행동을 하면 짜증을 내버린다.

매일 밤 우는 아이를 달래고 수유를 하는 데 지쳐서인지 남편의 행동이 하나하나 비위에 거슬린다. 이대로 애정이 식어가는 걸까?

A. '말하지 않아도 알아주길 바라는' 것은 무리한 요구다. 구체적으로 부탁하는 것이 좋다.

임신과 출산은 여자만 할 수 있는 일이다. 그렇기 때문에 남자들은 별로 실감이 나지 않는다는 것이 솔직한 심정일 것이다. 남편 입장에서는 '단지 애를 낳은 것뿐인데 왜 여자는 이렇게 변해버리는 거지?'라고 어리둥절하게 된다. 반면 여자는 '얼마나 고생해서 낳았는데 임신 전으로 금방 되돌아가는 게 쉬운 줄 알아.'라고 화를 내게 된다. 이런 생각의 차이가 둘 사이에 벽을 만들게 된다.

열심히 일하고 퇴근했는데 지치고 짜증난 아내가 맞이하면 남편도 마음이 편치 않을 것이다. 남자에게 '말하지 않아도 알아주길 바라는' 것은 굉장히 어려운 일이다. 조금이라도 편해지고 싶으면 여자가 먼저 어른스러운 태도로 '쓰레기 좀 버려줘요.' '퇴근할 때 우유 좀 사다줘요.'라고 구체적으로 부탁해보자. 그러면 남편도 의욕이 넘쳐 도와줄 것이다.

또 가끔은 남편에게 아기를 맡기고 2시간 정도 외출을 해보자. 엄마의 고생을 실감하고 나면 퇴근하고 돌아와서 '오늘도 애 보느라 수고했어.'라고 먼저 말을 할지도 모른다. 그러면 아내도 웃으며 '잘 다녀왔어요.'라고 말할 수 있을 것이다.

힘든 육아도 남편과 함께 헤쳐 나가자는 마음으로 솔직하게 '도와줘요.' '이것 좀 해줘요.'라고 말하는 것이 중요하다.

Q69

남편의 교육방침이 나와 다르다. 괜찮을까?

남편은 아이가 심부름을 하면 상으로 간식을 사주거나 용돈을 준다. 하지만 나는 아이가 대가 없이 다른 사람을 도와줬을 때 느끼는 기쁨이나 보람을 배우길 바란다.

A. 가정교육의 가치관을 꼭 맞출 필요는 없다.

부부의 육아 방침이 서로 달라도 괜찮지 않을까. 세상에는 다양한 사람들이 있다. 회사 내에서도 '난 최고가 될 거야!'라고 출세 지향형 사원이 있다. 반면 '고객의 행복이 곧 나의 행복이다.'라는 마음을 소중히 여기는 사원도 있다. 또 상황에 따라 양쪽 모두인 사원도 있다.

회사 입장에서는 모두 필요한 인재들로 어느 한쪽이 정답이라고 할 수 없다. 어릴 때 엄마 아빠를 통해 서로 다른 가치관을 접하게 되면 훗날 사회에 나갔을 때 도움이 될 가능성이 높다.

남편의 교육 방침을 부정하거나 비난하지 말고 자신의 방침대로 하면 된다. '엄마는 이런 일을 할 수 있는 네가 자랑스러워.'라고 기쁜 감정을 확실하게 표현하자. 엄마가 기뻐하는 얼굴은 아이에게도 큰 기쁨이다. 그러면 아이도 언젠가 아빠에게 '용돈이 필요해서 한 게 아니에요. 엄마가 기뻐하니까 한 것뿐이에요.'라고 말하게 될 것이다.

Q70.
육아와 일을 병행하고 싶지만 남편은 전혀 이해해주지 않는다.

아이도 이제 곧 2살이 되기 때문에 복직을 하고 싶다. 하지만 남편은 내가 일하는 것에 반대한다. 어떻게 해야 설득할 수 있을까?

A. 부모가 맞벌이를 하면 아이 교육에 좋지 않다는 고정관념을 없애라.

아직도 여자는 아이가 태어나면 일을 그만두고 육아에만 전념해야 한다는 생각이 일반적이다. 임신과 출산은 여자만이 할 수 있는 일이지만 육아는 남자도 할 수 있다. 부부가 각자 자신의 일을 갖고 있는데 왜 여자만 일을 포기해야 하는 걸까? 여자에게만 육아의 책임을 떠넘기는 것은 잘못된 생각이다.

이런 사항은 서로 충분한 대화를 통해 풀어가는 것이 중요하다. 결혼이나 임신 전부터 확실하게 이야기를 해두는 것이 좋지만 출산한 후라도 늦지 않았다.

남편은 왜 반대하는 걸까? 그 이유를 차분하게 들어보자. 만약 아이의 교육이나 정서 발달에 좋지 않아서 라고 하면 남편의 불안을 해소해 줄 대안이나 근거 있는 자료를 내밀어 보자. 감정적으로 이야기하지 않고 논리적으로 설득하는 것이 중요하다. 부모가 맞벌이를 하지만 아이는 건강하고 올바르게 자라는 사례는 셀 수 없이 많다. 그리고 제대로 말해주지 않아서 아내가 어떤 생각을 갖고 있는지 몰랐다는 남자들도 많다. 서로 충분한 대화를 통해 좋은 방법을 발견할 수 있을지도 모른다.

Q71

아이가태어나면서부터
부부싸움이잦아진것같다.

부부싸움이 아이에게 악영향을 주지 않을까 걱정이다. 왜 참지 못하고 싸우고 마는 걸까? 싸우고 나면 늘 반성하게 된다.

A. 부부 간의 대화를 재점검해보자.

여자들은 질문형의 공격적인 말투가 되기 쉽기 때문에 주의하자. '왜 당신은 가사를 도와주지 않는 건데요?' '당신도 똑같은 부모인데 왜 나한테만 육아를 떠넘기는 거예요?'처럼 '왜' 화법으로 따지기 쉽다. 그러면 남편도 '그렇지만 나도'라고 반박하게 되어 결국 싸우게 되는 것이다.

'당신이 이것만 좀 해주면 굉장히 편할 거예요.' '1주일에 2시간만이라도 내 시간을 가질 수 있도록 협조 좀 부탁해요.'라고 구체적으로 이야기하면 남편도 바로 행동으로 옮길 수 있을 것이다. 구체적으로 말해주지 않기 때문에 남편은 어떻게 해줘야 할지 모르는 것이다. 대화 방식을 살짝 바꾸는 것만으로도 싸움을 줄일 수 있다.

Q72

휴일에도 피곤한 얼굴을 하고 있는 남편을 보면 짜증난다.

남편은 집에 있을 때 항상 피곤에 지친 모습이라 나까지 덩달아 불쾌해진다. 차라리 집에 없는 편이 나도 아이들도 마음이 편하다.

A. 아이와의 시간을 만들어 주자. 아이가 아빠의 피로 회복제가 될 것이다.

대부분의 아빠들은 한 주간의 회사 일로 심신이 지쳐있는 상태다. 물론 엄마도 육아와 가사로 지치고 피곤하지만 한 발 양보해보자. 사랑스러운 아이와 즐겁게 놀 수 있는 시간을 만들어 아빠의 피로를 풀어주자.

엄마가 아빠를 거북하게 생각하면 아이도 금방 눈치 채게 된다. 엄마가 먼저 '오늘은 아빠랑 둘이서 산책이라도 해보는 건 어때?'라고 권해보자. 아무래도 엄마가 있으면 아빠는 엄마 눈치를 살피게 된다. 아빠만의 방식으로 아이와 즐거운 시간을 보낼 수 있도록 맡겨보는 것도 좋은 방법이다.

Q73
아이를 혼낸 후 달래는 역할은 어느 쪽이 담당하는 게 좋을까?

아이를 혼내는 역과 달래는 역이 따로 필요할까? 엄마와 아빠의 역할 분담은 어떻게 하는 것이 바람직할까?

A. 어느 쪽이 해도 상관없다. 중요한 것은 혼내는 것과 달래는 것의 균형을 잡는 것이다.

혼내는 역과 달래는 역을 굳이 나눌 필요는 없다. 역할 분담보다 혼내는 것과 달래는 것의 균형을 잡는 것이 중요하다. 역할분담 측면에서 아빠의 둔감함이 아이의 적극성을 기른다는 설이 있다. 이 시기 엄마에게는 무엇보다도 아이가 최우선이다. 항상 아이에게 의식이 집중되어 있기 때문에 밤중에 우는 소리나 컨디션의 변화도 금방 알아챈다. 반면 아빠는 바로 옆에 있어도 아이의 행동이나 변화에 잘 알아채지 못하는 경우가 많다. 그렇기 때문에 아이가 스스로를 어필하는 기술을 터득하게 된다고 한다.

멍 때리는 아빠. (나쁜 본보기)
엄마는 필요할 때 바로 오고 뭔가 해내면 바로 기뻐해 준다. 그런데 둔감한 아빠는 알아채지 못하는 경우가 많다. 아빠는 나중에 사회에 나갔을 때의 예행연습을 시켜주는 존재인 것이다.

Q74

시댁과 친정,
어디에 갈지를 놓고 늘 싸우게 된다.

양가 모두 첫 손자라서 부모님들이 굉장히 예뻐하신다. 간신히 휴일을 맞췄지만 서로 자기 본가에 가려고 싸우게 된다.

A. 양가 모두 공평하게 소중히 대하자.

이런 경우 거리까지 멀면 더욱 고민하게 된다. 남편과 아내 모두 자기 본가가 더 편하기 때문에 고집을 부리게 된다. 하지만 이런 문제로 싸우면 아이는 민감하게 알아차리고 불안해한다. 따라서 '양가 모두 소중히 한다.'는 마음가짐이 중요하다.

직접 가지 못할 때는 화상 전화나 인터넷 전화로 부모님께도 손자의 모습을 보여주는 것도 좋다.

Q75

남편이 출산장면을 비디오로 찍고 싶어 한다. 그런 장면을 촬영하면 아내가 더 이상 여자로 보이지 않게 된다는데 사실일까?

곧 출산 예정일이다. 남편은 출산 장면을 비디오로 찍고 싶어 한다. 출산 장면을 촬영하면 더 이상 여자로 보이지 않게 된다는 말을 들었는데 괜찮을까?

A. 현장의 감동을 오래도록 남기려면 눈으로 직접 보고 느끼는 것이 좋다.

그럴 일은 없겠지만 정 걱정이 되면 촬영은 하지 않는 것이 좋다. 개인적으로는 비디오 촬영보다 사진 촬영을 권한다. 비디오로 촬영할 경우에는 카메라는 그냥 고정해두고 직접 눈으로 보길 바란다. 파인더를 통해 보면 제삼자가 된 느낌이 들어 감동의 크기가 전혀 달라진다.

각자의 취향에 따라 다르겠지만 출산 시 남편이 함께 하는 것이 좋다고 생각한다. 여자들은 자신의 흐트러진 모습을 보여주기 꺼려지는 마음도 있겠지만 출산의 위대함과 감동을 공유하는 의미로 추천한다.

Q76

딸은 심한 마마걸이라 남편에게 잘 가지 않는다. 남편이 불쌍하다.

남편은 언제나 밤늦게 퇴근한다. 자주 못 보기 때문인지 딸에게 존재감이 없다. 늘 나한테만 찰싹 붙어있고 남편에게는 잘 가지 않는다.

A. 엄마가 '아빠랑 우리 다 같이 있으니까 좋다.'라는 것을 자주 표현하자.

수유기에는 모유의 위력이 있기 때문에 엄마를 더 좋아하는 건 어쩔 수 없다. 이 시기가 지나면 분명 달라질 것이다. 가정 내에서의 인간관계는 의외로 어렵다. 엄마가 계속해서 '아빠는 소중한 사람이야.'라고 가르쳐 줄 수밖에 없다.

아이는 자라서 자립을 하고 언젠가 결혼을 하게 되면 엄마와 아빠가 이상적인 본보기가 된다. 그렇기 때문에 어릴 때부터 가족 구성원 모두의 소중함을 확실하게 알려줘야 한다. 그리고 아이가 사춘기가 되면 딸과 엄마는 라이벌 혹은 자신을 투영하는 존재가 되어 불편한 관계가 되는 경우도 있다. 이럴 때 아빠가 엄마와 딸의 사이를 중재하는 데 큰 역할이 되기도 한다.

제8장 정리

아이가 생기면 부부 관계에 대해 서로 충분한 대화가 필요하다.

기억할 것은 메모하셔서
꼭 활용하세요~

memo

아이의 연령대가 비슷하면 엄마들끼리 금방 친해진다. 하지만 그만큼 고민도 많다.

'육아고민에 대해 이야기 나누고 싶은데. 다른 엄마들과는 어떻게 친해져야 할까?'

'돈이나 교육에 대한 가치관이 맞지 않아.' '나이차이가 나는 엄마들은 어떻게 대해야 할까?'

육아 선배에게 그 답을 들어보자.

제9장

다른
엄마들과의
교제에
관한 고민

Q77
육아에 대한 고민이나 정보를 함께 나눌 친구가 있으면 좋겠다. 어떻게 하면 좋을까?

육아는 처음이라 같은 입장에 있는 엄마들과 친해지고 싶다. 공원 같은 데서는 먼저 말 걸기도 힘들고 어떻게 하면 좋을까?

A. 육아지원센터나 인터넷 카페 등을 통해 친해지는 계기를 만들자.

최근에는 육아지원센터나 각 지자체에서 운영하는 육아 프로그램이 많다. 아이에게 도움이 되는 프로그램을 배우면서 다른 엄마들과 정보 교환도 할 수 있는 사교의 장인 것이다. 자연스럽게 이야기를 나누며 마음이 맞는 친구를 찾을 수 있을 것이다.

매번 프로그램에 참가하거나 외출하기 힘든 상황이라면 인터넷 카페에 가입하는 것도 좋은 방법이다. 멀리 나가지 않더라도 집에서 다양한 정보를 교환하고 상담을 받을 수 있다. 뿐만 아니라 아기 용품 등도 교환할 수 있다. 각 지역별로 정기모임을 갖는 카페도 있으므로 잘 활용하면 많은 도움이 될 것이다.

그리고 아이가 자라서 어린이집이나 유치원에 들어가면 학부모 모임이나 통학버스 시간 등을 통해 엄마들끼리도 친해지는 계기를 만들 수 있을 것이다.

A. 육아광장이나 모임에 나가면 직원이 엄마들을 소개해 준다.

육아를 하는 엄마들과 반드시 친구가 될 필요는 없을 것이다. 하지만 가끔은 푸념을 늘어놓거나 상담을 하고 싶은 날이 있다. 이럴 때는 그냥 '친구'보다 같은 처지에서 육아를 하고 있는 '동료 엄마'가 필요하다.

최근에는 모임뿐만 아니라 육아지원센터, 육아살롱, 육아광장 등 아이를 데리고 갈 수 있는 장소가 많다. 집 근처에 육아모임 서클이 있으면 방문해보는 것도 좋다. 그밖에도 나라에서 운영하고 있는 무료 놀이방이 딸린 강좌나 부모와 아이가 함께할 수 있는 레슨에 참가해보는 것도 좋다. 분명 마음이 맞는 엄마들이 있을 것이다.

육아 광장이나 살롱에는 전임자가 있어서 처음 방문하는 엄마들도 금방 익숙해질 수 있도록 도움을 준다. 자신이 먼저 말을 걸기 어렵다면 이런 식으로 엄마를 소개받을 수 있는 장소를 이용하는 것도 좋다.

아기 수영교실이나 육아서클처럼 정기적으로 다니는 모임에서도 마음이 맞는 엄마들을 찾을 수 있다. 만날 기회가 늘어나면 자연스레 친해지거나 어느 새 그룹이 만들어지기도 한다. 그리고 아이가 자라면 어린이집이나 유치원에 들어가 집단생활을 하게 된다. 이를 통해서도 마음이 맞는 엄마들과 친해질 수 있을 것이다.

Q78

다른집에놀러갔는데우리집에서는 먹이지않는간식이나왔다. 어떻게하면좋을까?

다른 엄마들과 교육방침이나 금전감각이 다른 경우가 있다. 예를 들어 우리 집에서는 금지하고 있는 과자가 간식으로 나왔을 경우 어떻게 하면 좋을까?

A. 다른 집에 맞출 필요도 없지만 비난할 필요도 없다. 우리 아이는 우리 집 방침대로 하면 된다.

자주 있는 일이지만 말하기 곤란한 게 사실이다. 받아들일 수 있는 부분은 받아들이되 그렇지 않은 부분은 솔직하게 말하고 거절하자.

사람마다 육아 방식에 차이가 있는 것은 당연하다. 이런 점을 서로 이해할 수 있으면 된다. 하지만 말하지 않으면 모르기 때문에 '우리 집은 그거 안 먹이는데. 죄송해요.'라고 말하자. 주의할 점은 '그런 거 먹여도 괜찮아요?'라고 다른 집의 방침을 비난하지 않는 것이다.

예를 들어 아이가 위험한 장소에서 놀고 있으면 '위험해.'라고 말리는 부모가 있다. 반면 '위험한 것도 스스로 경험하고 터득해야 다시는 하지 않는다.'라고 생각하여 말리지 않는 부모도 있다. 각자의 사고방식 차이인 것이다. 육아에는 반드시 이렇게 해야 한다는 정답이 없다. 따라서 다른 집은 다른 집, 우리 집은 우리 집 방침에 따르면 된다. 다만 가치관이 다르다고 해서 반론하거나 지적하지 않는 것이 중요하다.

　금전감각의 차이도 마찬가지다. 소비 스타일이 다른 것은 수입이나 가치관이 다르기 때문이니 어쩔 수 없다. '우리 집은 그 부분에 그렇게 많은 돈을 쓸 수는 없어.'라고 생각하면 끝날 일이다. 상대방과 똑같이 하려고 하면 스트레스를 받는다. 육아를 통해 다양한 가치관이 있다는 것을 아는 것으로 충분하다.

Q79

신장이나 체중 등을 꼬치꼬치 캐묻는 엄마들이 있다. 자꾸 자기 아이와 비교하려고 해서 불쾌하다.

만날 때마다 신장이나 체중 등을 캐물어서 귀찮다. '우리 애보다 더 크네. 더 작네.'라고 비교하는 사람도 많아 불쾌하다.

A. 상대방의 심리를 깊게 생각하지 않는 편이 좋다.

만날 때마다 물어보면 '요전에 말했는데 잊어버렸나?'라고 생각하고 다시 한 번 말해주자. 자꾸 물어봐서 불쾌하다면 '요즘 통 재보지 않아서 잘 모르겠어요.'라고 시치미를 떼 보자.

상대방은 대화의 실마리를 찾기 위해 무난한 주제인 신장과 체중에 관한 질문을 하는 걸지도 모른다. 혹은 자신의 아이에 대해 물어봐주길 바래서 일지도 모른다. '그 댁 아이는 꽤 큰데 혹시 아이 아버지도 큰 가요?' '우리 애는 아직 아무것도 안 가르치는데. 그 댁은 벌써 뭔가 배우고 있어요?'라고 물어보면 기분 좋게 대답해줄 것이다. 상대방이 질문하는 의도를 너무 깊게 생각하면 스트레스만 받을 뿐이다. 좋은 의도로 받아들이고 대화를 즐기자.

Q80

다른 엄마들을 보면 다들 즐겁게 육아에 임하고 있다. 육아가 힘들기만 한 나는 나쁜 엄마인 걸까?

다른 엄마들이 즐겁게 육아를 하고 있는 모습을 보면 나 자신이 한심하게 느껴진다. 아이는 사랑스럽지만 육아가 즐겁지만은 않다. 나는 나쁜 엄마일까?

A. 사실 대부분의 엄마들이 똑같은 생각을 하고 있다.

대부분의 엄마들이 한 번쯤은 하게 되는 생각이다. 설문조사를 하면 육아가 순조롭고 별로 힘들지 않다고 답하는 엄마는 10% 밖에 되지 않는다. 90%의 엄마들은 육아가 힘들다고 생각하는 것이다. 하지만 힘들다는 마음을 드러내면 나쁜 엄마가 되는 것 같아 말하지 않는 것뿐이다. 솔직하게 이야기해보면 '나도 그래.'라고 육아의 고충을 털어놓는 경우가 많다.

공원에서 마치 그림처럼 예쁘게 유모차를 밀고 있는 엄마들을 보면 아무 걱정도 없어 보인다. 하지만 그들도 똑같이 고민하고 있다. 육아는 예상 밖의 일의 연속이다. 이런 현실 속에서 불안과 스트레스를 느끼지 않는 사람은 없다. 모두 마찬가지이므로 자신을

'나쁜 엄마'라고 생각하지 말자. 즐거운 순간은 소중히 여기고 힘든 순간은 남편이나 친구들에게 털어놓으며 이 시기를 헤쳐 나가자.

Q81

나이 차이가 나는 엄마들과도 친구처럼 편하게 이야기해도 될까?

아이들 나이는 비슷한데 엄마들끼리는 나이차가 많이 나는 경우가 있다. 그래서 말투에 주의하고 있다. 경어를 쓰면 너무 딱딱할 것 같다. 그렇다고 처음부터 너무 편하게 말하기도 그렇다.

A. 친해질 때까지는 경어가 무난하다.

정해진 규칙은 없다. 요즘에는 나이가 많은 엄마라도 아이의 나이가 같으면 말을 편하게 하는 경우가 많다. 하지만 다양한 유형의 엄마들이 있기 때문에 상황에 따라 다르게 대처해야 한다. 이런 문제는 상대방의 성격을 지켜보며 어떻게 해야 할지 스스로 판단하는 수밖에 없다.

상대방이 경어를 쓰면 자신이 더 나이 든 사람인 것처럼 느껴져서 싫어하는 사람이 있다. 반면, 초면에 말을 편하게 하면 무례하다고 생각하는 사람도 있다. 일단 처음에는 경어를 쓰고 친해지면 편하게 말하는 것이 좋다.

Q82

다른 엄마들과는 어느 정도 친하게 지내야 좋을까?

문자를 받으면 곧바로 답장을 해야 할까? 다른 엄마의 험담을 들었을 때 어떻게 답해야 좋을까? 어느 정도 거리를 두는 게 좋을까? 집에 초대받았을 때의 선물은 뭐가 좋을까?

A. 서로 육아로 바쁘기 때문에 무리하지 않는 것이 중요하다.

상대방의 기분이나 상황에 대해 잘 모를 때는 군이 곧바로 답장할 필요는 없다. 이럴 때는 '지금 좀 바빠서 죄송 m(__)m'이라고 한 마디 보내두면 될 것이다. 다른 엄마의 험담을 들었을 때는 '아, 그랬어요.'라고 일단 대화를 끊자. 그리고 자신의 의견은 덧붙이지 않는 것이 좋다. 섣부르게 끼어들었다가 괜히 불똥이 튀는 경우도 있기 때문에 그냥 들어주기만 하자.

집에 초대받았을 때는 아이들이 먹을 수 있는 과자 선물을 가져가는 것이 무난하다. 편한 관계를 지속하고 싶다면 서로 무리하지 않는 것이 중요하다.

제9장 정리

우리 집은 우리 집 방식대로! 서로의 가치관을 존중하자.

어머, 아이가 편식을 해요?

우리 집은 골고루 먹이려고 하루에 30종류 정도 먹이는데.

아이의 미각은 어렸을 때부터 연마시켜야 한다잖아요.

어머, 밤 9시에 재워요? 그거 좀 힘들지 않아요?

아이도 아빠랑 지내는 시간이 필요하잖아요. 아빠가 아이를 봐주면 우리도 그 사이 차를 마신다거나. 아무튼 가족 전체를 위해서도 그게 좋대요!

그럴 때 우리 집은 DVD를 보여줘요.

요즘엔 영어교육 쪽으로도 좋은 게 많잖아요

아... 네.

다른 집의 방식을 강요받을 때는 '어머 그래요? 근데 우리 집은 하기 좀 어렵겠네요.' 라고 슬쩍 피하는 것이 효과적이다.

너무 귀찮아.

기억할 것은 메모하셔서
꼭 활용하세요~

memo

맺음말

　사소한 문제로 고민하는 것은 그만큼 진심으로 육아와 마주하고 있다는 것이다. 그런 엄마 아빠 밑에서 자란 아이는 분명 행복한 아이일 것이다. 아이들은 매일 조금씩 성장해 간다. 오늘 못했던 것을 내일 할 수 있게 되고, 싫다고 고집 부렸던 것을 다음 날에는 순순히 따르기도 한다.

이 책은 육아의 '사소한 고민'과 그 답을 소개하고 있다. 아이들이 자라고 나중에 돌아보면 '정말 사소한 고민이었어.'라고 미소 짓게 되는 날이 올 것이다. 그때는 베테랑 엄마가 되어 후배 초보 엄마에게 조언을 해주자.

'아카스구' 편집부

유가영 옮김

전남대학교 일어일문학과를 졸업하고, 현재 전문번역가로 활동중이다.

역서로는『셰익스피어 사랑학』,『행복은 내곁에 있다』가 있다.

육아고민

2011년 10월 10일 1판 1쇄 인쇄

2011년 10월 15일 1판 1쇄 발행

펴낸곳 | 동해출판

펴낸이 | 하중해

지은이 | 아카스구 편집부

옮긴이 | 유가영

마케팅 | 홍의식

기 획 | 하명호

디자인 | papermime

주   소 | 경기도 고양시 일산동구 장항1동 621-32호 (410-380)

전화 | (031)906-3426

팩스 | (031)906-3427

e-Mail | dhbooks96@hanmail.net

출판등록 제302-2006-48호

ISBN 978-89-7080-203-9 (23590)

값 11,000원